A WORKING CLASS
STATE OF MIND

A
WORKING
CLASS
STATE
of MIND

COLIN BURNETT

This book was made possible through the support of Scottish Book Trust's Scots Language Publication Grant, which was awarded to the project in July 2021.

A WORKING CLASS STATE OF MIND
Copyright Colin Burnett 2021

Published byPierpoint Press
an imprint of Leamington Books
32 Leamington Terrace
Edinburgh
EH10 4JL

Set in Scotland in Book Antiqua and Gobold
Cover design by Cavan Convery

ISBN 9781914090158
Third Edition

leamingtonbooks.com

A WORKING CLASS STATE OF MIND

by Colin Burnett

*This book is dedicated to the memory of my late parents.
Anne Burnett and David Burnett. They always believed
in me and forever gave me encouragement to pursue
my dreams.*

CONTENTS

A WORKING CLASS STATE OF MIND

Ah laid the boax ae painkillers alongside the boattle ae Smirnoff vodka oan the coffee table. It doesnae even matter tae me that ma flat is that cauld it wid gee an Eskimo the shivers. Aw ah kin focus oan is the troublin thoats which are circlin aroond ma heid like a vulture stalkin a dyin animal. Jist waitin fur the right moment tae pick through the bones. Each thoat bringin another feelin ae hopelessness and his gid pal, despair. Ah mean, Guantanamo Bay hus probably goat a maire hamely feel tae it than this dump. Thirty years oan this planet and what dae ah huv tae show fur it? A TV they dafties fae CSI could trace back tae John Logie Baird. A carpet that's goat maire stains oan it than an actress auditionin fur Harvey Weinstein. And look, even ma waws are fucked; they're that yelly, ah'm startin tae hink they've went jaundice, probably because day efter day, night efter night, ah sit here and try tae smoke masself intae an early grave. Ah heard earlier, oan the mornin news, that the PM, Boris Johnson, hus cawed a press conference fur later in the evenin. Yae jist ken that means somebaody is gontae suffer. As ah go tae light the joint ah hud pre-rolled in anticipation ae ma final act oan this planet, ah suddenly caught sight ae a spider danglin fae a long silvery thread in the corner ae the room. This tiny creature wis tryin tae swing oantae the shelf wae aw its bein, but still it couldnae muster the strength tae make it. Ah'm sittin here hinkin tae massel: "Jist gee up, ma wee pal. You'll never make it. Take it fae someboady who hus the t-shirt and the mental health issues tae prove it."

Aw, will yae look at the state ae this cunt. Jesus, ah look like a junkie efter a weekend in Amsterdam. The white vest ah'm wearin goes sae well wae ma pale skin and skinny physique. Fur fuck sake, it's Die Hard wae AIDS. Honestly, ah've goat tae laugh. Ah mean, how hus it come tae this, eh? There's been nae Queensbury Rules involved in ma fight tae survive, that's fur fuckin sure. Aye, the man upstairs hus shot fae the hips and done a right number oan me. Yin minute it's yur sweet sixteen, the juices rushin tae yur baws, andreline pumpin through yur veins, and the world seems like a tidy hing jist waitin fur yae tae fuck her. God, ah wis fuckin fearless back in the day; ah hud such dreams. Then, suttin happens, suttin Nostradamus couldnae huv seen comin; yur life flashes by yae at internet speed. The next hing yae ken, yur starin doon the double barrel ae thirty years ae pain and disappointment. Aw, yur still a pup, ah kin tell; you've still goat that fire in yur belly, that hunger tae dae suttin wae yur life. Gee it time, fur it will soon come tae you as well, the flies will become that bit quicker, the shelfs that bit further awey, and if yur lucky, some cunt like me will come along tae stand oan yae and it's aw oor very quick. At least that wey you're spared the heartache ae findin oot life's jist yin big fuckin joke oan gadgies like us.

Aw, dinnae worry, nae harm will come tae yae by ma hand. You've goat character, ah like that. There's a loat tae be said aboot character. Yae see, what huv ah been tellin yae, there's nae point in tryin tae succeed; yur destined tae be jist like me, a Coke can that's waitin tae be kicked aboot throughoot yur entire life. Kin yae hear that? That faint voice at the back ae yur mind, the yin tauntin yae and laughin at yur every failure. The yin whisperin intae yur ear that yur nae gid tae nae cunt. Git yaist tae it because it's only goantae git louder and before you'll ken it, you've foond yur new best pal.

Ah live in the sixth richest nation in the world. And yit, ah kin hear Susan Boyle singin fae the rooftoaps, and tae tell yae the truth, ah'm even half expectin that Irish boay fae the telly tae turn up at the door wae bloody Pudsey the Bear in tow. Aw, what's his name again? Looks like Gandalf fae Lord ae the Rings only efter he's contracted an STD. What's his bloody name again? Oh, aye, Bob Geldof, that's him. Aye, that's the boay. Mean, ah hink he wis actually oan the telly last week campaignin tae save a distressed-lookin tree or summit. Yae see, aroond here, it's no the courts ae law or the politicians who keep the peace; it's the drugs. Picture this scene: each mornin ah awake fae ma coma, then ah sit oan ma patio chairs because ah cannae afford a decent couch. Ah sit there wae ma bowl ae Coco Pops whilst ah watch shows that kin only be described as propaganda against the workin class. Ah mean, jist the other day, there wis this boay oan Jeremey Kyle who wis convinced his cat wis the anti-Christ. It wis summit tae dae wae the cat sittin oan his phone and diallin 666. Ah guess it's true what they say aboot every litter. What's the alternative? Change the channel and listen tae a graduate ae Hogwarts ann-oonce tae the nation that seein me droon in poverty hus jist became a national priority. Either choice is hardly a substitute fur intellectual capital. Growin up where ah'm fae oor social status wis based upon how well you could fight or kick a baw. No exactly the criteria fur becomin the nixt Prime Minister or CEO ae a fortune five hunner company, is it?

Mean, the only hing ah've goat ae any value is this tattered-lookin watch ma granda left me. Ma mate Fraser is intae aw they antiques shows oan the telly. The wey the cunt goes oan, you'd hink he's a curator at the British Museum and no oan remand fur robbin a couple ae posh stately hames. Ma mobile starts ringin oaf the hook at aboot half seven at night. As soon as ah answered the phone, Fraser starts tae yell doon the line, "Bawbag, yur a fuckin millionaire!" Ma first thought wis he must be back dain acid or summit, so ah hung up the phone oan him. Aboot a half oor later, ah hear bangin oan ma door. It wis yin ae they polis knocks, ken? The yins that aboot take the door oaf at the bloody hinges. Fraser comes chargin in aw oot ae breath and gaspin fur air and then mutters, "Yur granda's watch, it's worth a million quid. Ah seen the exact same yin oan the Antiques Roadshow the night!" At first ah thoat he wis fuckin wae me, but yince ah could see his pupils wur still dilated, it started tae hit me he wisnae takin the piss efter aw.

We were baith wettin oorselves at the thoat ae aw that money. First hing the next mornin, we made a few calls tae git a jeweller tae value the watch. Oan aboot the fifth call ah made, we were put in touch wae an expert ae watches who hud a jeweller's oan Princes Street. This wis yin ae they place's posh cunts go tae git their dicks up. Ah mean, it hud maire bling than Mr T. As we stood ootside the buildin, Fraser eloquently took this opportunity tae remind me ae his claim tae a share ae the money: "Aye, childhood pal, and remember it wis me who telt yae aboot the fuckin hing. And dinnae furget ah peyed yae back that tenner. That's a hunner grand ae any rich cunt's money."

Ah couldnae believe ma ears; ah stood there wae three quid in shrapnel jinglin aboot in ma pocket, and this cunt wants a hunner grand oaf me. This boay dressed in a tuxedo and bowtie who looked as if he wis waitn fur a bell tae ring to go and wipe his master's erse greeted us in reception. Ah could see by the glare in the boay's eyes he wisnae used tae comin acroass two rough and tumble boays like us in his line ae work. He directed us intae his office and started tae appraise the hing, and efter aboot a couple ae minutes he telt us suttin we should huv kent aw along: it wis worth a pittance. The colour fae oor faces drained awey along wae oor hopes ae a wey oot ae this fishbowl we caw a life. Dinnae git me wrong. If ah had hud the energy, ah would huv taken Fraser tae the roof ae the buildin tae throw him oaf and then halled him back up fur an encore. The way that cunt hud been goin oan, we were aboot tae dae a deal wae Sotheby's. Insteed ah find oot av goat a watch that ah need tae git sum unsuspectin celebrity tae wear then shoot thum oan the spot jist tae git its value up past the eighty quid mark. Poverty does that tae yae. It isnae jist a word fur politicians tae throw aboot tae git oor vote. It's an illness ae the mind, boady, and soul.

Ah foond this half-empty boatle ae Smirnoff vodka ma mate hud left behind fae last weekend. Efter pourin masself a gless, ah raise it tae make a toast tae ma new companion.

"This is fur you, little yin. Cheers."

Aye, but again, the wee man faws shoart. He'll learn, he'll see. Ah wis yince like him, a fighter. Now ah'm jist tired and ah feel sick at hert. That's the hing aboot dreams and aspirations. They're jist a fairytale story wur telt by oor parents. A fuckin make-believe idea that gees us hope that hings will git better. An idea that a naeboady kin become a someboady yin day, that David did beat Goliath. The truth is the maire yae try tae reach fur the stars, the closer yae become tae reachin fur the boattle. It's like when we're bairns we're telt tae be gid and Santa Claus will bring us loatsae presents. It's a beautiful idea, but there comes a point when we realise we've been had. Aw it takes is fur some smart erse tae come along and tell us Santa's no real. Then oor hale world is flipped upside doon. That's what dreams and aspirations are in life, it's aw yin big fuckin Santa Claus. Ah've realised summit likes, and that is that guys like me and the spider kin chase oor dreams, but we'll never make it. In the end, fuck Santa Claus.

Dinnae gee me that look, comrade. Ah cannae help boays like us are destined tae be the pun ae the system's jokes. It's no us who make the rules but it's sure as shit us who huv tae follow thum, um ah right or what? Yae dinnae need tae convince me it's no fair we huv tae hide in the dark like some diseased-ridden rat. Ah wisnae bullshittin yae earlier; ah wis like yae, many moons ago the noo, mind yae, but ah wis yince full ae ambition tae. Aye, that watch ae ma granda's, he gave me it when he thoat ah wis gonnae be a someboady. Back in the day ah wis a promisin wee fitbaw player, ah even hud a trial wae the mighty Hibees. Aye, in another life ah mighta been a professional player and it could huv been ma name in neon lights above Easter Road. What happened, yae ask? Aye, well like a loat ae folk fae here, ah wis a victim ae circumstance. Ah became maire bothered aboot what ma mates were up tae at the weekend. And then came the drugs. Before ah knew what wis happenin, ma dreams ae makin it oan tae the pitch became a distant memory and ah wis oan the fast track tae this point in ma life. Ah wonder, though, yince ah guzzle doon a few ae these tablets and yae sit and watch as ma lights turn oot, will ah make it oantae the pitch in the efterlife mibbie? Jist mibbie, ah might.

Mean, maist ae the boays ah hung aboot wae at school spent some time at her Majesty's pleasure. Funnily enough, ah bumped intae an auld mate fae school the other week doon at the bookies. There ah wis, wishing a thoosand deaths oan the jockey ae ma fallen hoarse, when ah hear this voice that resembled a foghorn.

"Chrissy, long time no see, eh?"

As ah turned aroond ah wis faced wae Matty Johnson who we hud nicknamed Bananas oan account ae him being a lunatic. He hud jist served a two-year sentence fur GBH when he attacked a guy wieldin a mace. Ah mean in this day and age who owns a mace? Lit alone actually uses yin. Some said he hud a fascination wae Game ae Thrones but who knows. It turned oot the hale incident wis aw oor a boay workin at Pizza Hut puttin too many slices ae pepperoni oan his pizza or some pish. We baith chatted awey tae each other like auld times, then he asked: "What yae dain wae yurself the noo?"

Ah told him: "Jist trying tae survive another week oan the dole."

Then Matty eagerly explained to me the benefits ae prison. "Ah'm tellin yae, Chrissy" he says, "Yae need tae spend a bit ae time inside. Three square meals a day and nae bills. Fuckin quality, man."

Ah stood there hinkin tae masself: "Surely, it's no came tae this. Ah've goat tae be incarcerated tae stay ootae the foodbank?"

Ah mean, this is the place people come tae make it. A place where yae kin be whoever yae want tae be. And here's me takin career advice fae a mace-wieldin psycho while ah watch a hoarse decide whether ah will huv food in ma belly or a roof oor ma heid. Wae each wakin moment, ah try tae convince maself suttin will turn up. Ah guess General Custard must huv said the same hing at Little Bighorn. And we aw ken what turned up there, another load ae irate Indians. Take a long hard look aroond. Hings are doon aw acroass the board. You've goat Mr Burns in the White House. Guys who widnae normally steal as much as a penny chew are huvin tae steal tae feed their faimilies. Aw, and if that wisnae bad enough, some pencil pusher in London hus decided tae take it oan thumselves tae inspire the nixt Charles Dickens.

The maire intently ah watch the spider, the maire care he seems tae take in his attempts tae swing oantae the shelf. Ah'm no shaire if it's the weed or the vodka or mibbie a combination ae baith, but ah'm startin tae hink this wee guy is oot tae prove me wrong. Ah feel like Leith's answer tae Dr Dolittle at the minute. This ballsae wee bastard is game, there's nae disputin that. Though again, he takes a sip fae the fountain ae failure. Yae see, it's in oor DNA tae fail, whether it be me or the spider — we alweys end up dain what's expected ae us. Which is tae come up shoart. It's the price ae bein the underdog. Aw, ah git it noo, the cobwebs huv been removed, if yae pardon ma pun. Yae hink this shit box ae a flat ah've goat came easy tae me? That acceptin a life ae poverty wis the easy choice? Lit me tell yae suttin, ah grafted maist ae ma days tae end up wae fuck all. That's what aw these rich cunts kin never understand; it takes aloat ae blood, sweat, and tears tae git where ah um. As soon as a higher power or big bang or whatever yae believe in — ah'm no here tae judge — decided yae wur gonnae be a spider, then yae wur up shit creek withoot a paddle as ma auld gran wid say.

21

It's strange though how hings come back at yae, yae ken? Memories. Thoan conversation wae Matty talkin aboot the auld days — and ah wis a sixteen-year-auld bairn again. It goat me hinking aboot the time ah spent in high school. Yae've goat tae understand yin hing. Bairns fae ma area were maire tolerated than encouraged by the teachers. This wisnae yin ae those Walt Disney films we were makin here. Yae ken the soartae film ah'm talkin aboot: the bairn is involved in a terrible accident and hus tae learn tae walk again. By the end of the film, the teacher hus their airm raised fur winnin gold in the 200m at the Olympics. Nah, this wis real life and like anyhing in this life, it wis tough.

The teachers wurnae able tae see beyond oor tracksuits or how we wid say "ken" insteed ae "know". Aye, in their eyes, the factory flair beckoned for us when we left school. Granted, at the time ah didnae realise they wur huving a premonition because that's exactly where ah ended up. Well, that wis up until a few months ago. When ma boss imported a machine designed in China that could operate quicker and cheaper than a pair ae hands. Honestly, ah hear aw the time folk aroond here complainin that these immigrants are comin over here and stealin oor joabs. Naeboady mentions R2D2 is the yin waitin in the wings tae pull oor plug. Wae jist a few crumbs ae encouragement fae ma teachers though, hings could huv been so much different. Ah might huv owned a factory insteed ae servin as a drone in yin by pressin a button aw day. Aye, ah could see it now: Christopher Mathews, a captain ae industry. You never ken, Matty might huv turned oot tae be Scotland's answer tae George R.R. Martin.

This time the spider is close, real close. Ah've goatae admit, this wee guy hus aloatae hert. The maire ah've watched his struggles, the maire ah've come tae realise we are kindred spirits. We baith try and fail time and time again. The strange hing is this insignificant fleetin moment in life hus kept me fae drawin ma final curtain. Mibbie ah wis jist lookin fur somethin tae hud oantae before ah depart this mortal realm. Somethin, anyhing, that might show me there is still hope left in this world insteed ae the miserable existence that waits fur me oot there — waiting patiently tae greet me like an auld friend. Ah appreciate yur efforts tae show me there's another wey tae dae hings n that hard graft kin pey oaf someday. Ah mean that, nae shit. The truth is it's inevitable; we will choke when oor big moment comes along. Ah wid love tae believe yae, but "That's Life" as auld blue eyes yince said.

It isnae like ah'm stupid. Ah ken the difference between a dream and a memory. Ah kin tell yae the meanin ae love. But what ah'm ah gonnae tell St. Peter when ah meet him at those pearly gates and he says: "Tell me aboot what yae learnt fae yur time oan earth, ma son?"

"Well, St. Peter, ah ken a gid joint when ah puff it. You'll need immortality tae witness Scotland qualifyin fur a World Cup. Aw, and ah learnt tae appreciate the meanin ae poverty."

Nah, there's goatae be maire tae aw this than that, or what's the point? The other night, ah wis searchin Netflix tae find summit tae watch. Ah came acroass a film ah hudnae seen in years: The Truman Show. That guy wis in it, the yin who used tae be funny

— Jim Carey. Aye, he played this boay who realises his whole life hus been scripted. Dinnae git me wrong, it might huv been the weed talkin, but ah couldnae help but hink boays like me aw live in oor very ain Truman Show. We grow up, work in a joab that serves tae kill our spirit, an then we settle doon an mibbie huv a few bairns. And when the time comes tae draw oor final breath, we've accumulated enough debt that our creditors will be hoadin a seance. Aw because society tells us we need a flash motor, designer clothes, a holiday abroad yince a year, and a fuckin credit caird. The truth is aw we are dain is makin sure aw these rich toffs huv made a tidy profit fae oor time spent here, and aw the while we produce the nixt batch ae workers tae take our place oan the chain gang. The greatest trick those in power ever pulled wis gittin the workers tae believe we aw huv equal opportunities. Fae the moment we first open our eyes and until the time finally comes tae close thum, oor lives huv been mapped oot fur us by they'm fae the cradle tae the grave. In this country 'cash is class'. When yur born intae a family wae a bit ae money and the right postcode, you're oan the home straight while the rest ae us are jist warmin up fur the race.

Ah kin feel these box ae painkillers daring me tae swallow a few ae thum, and then it will be over and oot. Nae maire ae this pain. Ah might actually be at peace fur yince. Earlier, ah went along tae the cash machine oan the high street. Oan ma way there, ah stoaped tae admire aw the artwork splattered acroass the shoap walls. Fae what ah could make oot, there's a few folk fae here fond ae pork, aw and some cunt cawed Pongo — apparently yae wouldnae ride his mum intae battle. Ah punched in ma pin, and ma balance ae thirteen quid and eighty pence sent ma hert flutterin. Ma breathin became shallower and ah thoat ah wis huvin a hert attack right there and then. So, ah decided tae Google ma symptoms. It turns oot ma obituary wis bein written yesterday. Ah jist thoat tae masel in that moment: "This life is jist too hard" and ah wis set tae end it aw until ma eight-legged hero arrived. You ken what? Ah've kept faith in a system ma entire life that hus promised sae much tae boays like me but gave us sae little. That's why if this spider kin make it oan the fourth attempt then ah'm gontae gee this hale 'life' hing another go. Aye, ah like a gamble as much as the nixt degenerate, fuck it. This wid be a sign fae the beyond. Watchin the wee guy, he seems tae huv sensed what's at stake here. This time he seems tae be takin maire caution. It almost seems as if he's goat a plan ae action here. Aye, that's it, son, you're nearly there. Cmoan, yae kin dae it. Ah fuckin believe in yae, ma hairy little friend.

Ah cannae believe ma eyes. He's done it; he's oan the shelf. "Yes!"

HOUSE OF HORRORS

The inside ae a bettin shoap is some sight. Yince yur in here yae cannae help but feel civilization as we ken it is comin tae an abrupt end. You've goat boays rockin back and forth oan yin ae they leather padded stools in the corner ae the shoap. As their hopes ae a few extra quid in their pocket hus quickly evapoarated in front ae their very eyes. You'll even find normal law-abidin citizens screamin and shoutin at the monitors. Threatenin tae commit aw soarts ae atrocities oan the joackey ae their fallen hoarse. Or, oan some bottle merchant fitbaw player who hus jist seen his last-minute penalty saved. Then, there's the machine players, these cunts are the ultra's ae the bettin world. These dafties sit fixated oan the screen ae their chosen machine. Each ae thum barely blinkin or rememberin how the fuck tae breathe. They're sae transfixed by aw the bright lights and noise the hing produces that they become maire a zombie than human. No tae mention the cartoon characters that hover aboot the screen tellin thum tae keep feedin in the crisp new notes they jist withdrew fae their bank that same mornin.

Mean, if they didnae ken any better, they might hink they're oan the best trip ae their lifes. But the sad truth is the hoose they're sittin in will always win, and it's built oan a foundation ae misery. But, well, yae cannae blame thum fur furgettin they've goat mooths tae feedback haime and a wife who's aboot tae leave thum. And by the time reality finally decides tae bite they'm oan the erse it might jist be too late fur anyhing close tae redemption. In the blink ae an eye they might jist find thumselves blackin oot in despair ae what they've done tae their lifes. Only tae come too and find thumselves standin oor the caved in heids ae an unsuspectin staff member or two. Luckily fur me though the machines huv never appealed. Fuck that likes cos efteraw it's hard-enough fur punters like masel tae even remain competitive wae the bookie when it's suttin close tae bein ae a level playin field. Never mind tryin tae take thum oan in front ae an awready predetermined cartoon network.

In between ma shifts workin as a haime help where ah tend tae the auld dears and gentlemen fae oot ma wey. Maist ae ma spare time is spent in the Ladbrokes bettin shoap oan the high street. And ken, dinnae git me wrong, likes but, well, ah'm oan yin ae they zero-hour contracts. Ken, the hings where yae dinnae ken if yur gonnae earn a quid or a livin wage fae month tae month. And that's why the bookies are the life support fur gadgies like me. Dinnae git it twisted though. Ah've been fucked maire times wae the bookie than a two quid hooker oan her best day. But yae cannae help but hink tae yursel: "Theday, could jist be ma day."

It wis this very piercin thoat playin in the back ae mind like that nippy song yae cannae quite shake that hus broat me intae the bookies in search ae ma first win in donks. As ah enter the shoap flair the young cashier Megan wis chattin tae Auld Tam at the coonter. Yince she cloacked ma presence in the shoap ah'm suddenly bein cawed oor by her.

"Dougie" she says. "Come oor here fur a second. Yae kin settle this argument fur us."

Ah walk oor tae thum and ah gee Tam a wee noad.

"Aye, how kin ah help?" ah ask.

Megan gees me a stern look.

"Do yae hink FIFA should dae suttin aboot women's fitbaw?"

The look ae bemusement plastered oor ma puss musta telt her ah wisnae sure how tae answer the question.

"It's no a fuckin trick question" she barks.

"Eh, ah dinnae ken, likes. There cannae be that many women fitabw players" ah says nervously.

Then Tam, wae a cheeky smile oor his puss looks at me and quips: "Spot oan, son."

And that's when Megan roared at us baith: "Ya pair ae sexist bastards! Ah wis talkin aboot gittin women's fitbaw maire oan the telly, no gettin rid ay the fuckin hing. The baith ae yae kin git tae fuck."

Tam grabbed his bettin slip that wis sittin oan the coonter and hurried oot the shoap wae his shiny silver cane in hand. While ah wis still tryin tae compute what hud jist happened as ah made ma wey tae the crinkled cut oots ae the Racing Post, which hud been clumsily pinned tae the wah. Yince you've hit a losin streak like the yin ah huv, its hard tae focus oan the task at hand. Jist pickin yin winner, never mind four ae thum, seems as practical thenow as appointin Prince Andrew as a 'Make A Wish' ambassador. Only two meetins oan theday that ah kin see, Doncaster and Kempton, but there could huv been Pyongyang as a third yin and ah would still be standin here rollin the dice. Yae see, it's the risk. That's where the hit yae git fae gamblin comes fae. This is the wey it is boays: yae win some and yae lose some, but when yae do win it feels as if you've jist discovered the loast city ae Eldorado. In ma ain line ae work, ah've seen a loat ae beautiful hings transpire. Some ae thum yae might even consider tae be actual miracles. Ah've bared witness tae auld dears suddenly bein able tae remember their bairns names efter years ae no bein able tae. Due tae some merciless disease that hus taken possession ae their mind. These eyes huv even seen some ae thum huvin tae learn how tae walk again. But lit me lit yae intae a wee secret, eh? There's nuttin maire beautiful than the vision ae gittin yin oor the bookie.

Ah studied the form ae the runners and riders until ma decision wis made oan ma selections fur thedays wee taste ae hell. Tae be honest wae yae ah hud been purposely takin maire time than ah normally wid tae choose ma poison. Oan accoont ae the reception ah hud goat fae Megan earlier. Though noo ah wis ready tae make ma ritual donation tae the Ladbrokes shareholders benevolent fund. It wis a long queue, which wis a typical sight fur this time ae day, especially wae the racin aboot tae start. Fae Megan's demeanour it wis obvious that time hudnae bein a healer. Her usual bubbly manner hud been replaced wae pin-point death stares aimed firmly in ma direction. The evil eye only becomin maire and maire intense the closer ah goat tae the heid ae the line. Fortunately, fur masel, when it wis ma turn tae be served by her. A puny boay cawed Paul who ah kent fae the boozer hud jumped oantae a till. He wis a small guy wae prickly black hair and a tangerine complexion, due tae his love ae the sunbeds. As soon ma bet wis placed in his hand he mindlessly processed it through his machine and passed oor ma copy.

Megan, who wis seated nixt tae him, could be heard softly mutterin "Wanker". Tae avoid causin another reaction like the yin earlier, ah chose tae ignore her comment. Paul, who wis oblivious tae oor differences oan the future ae wumen's fitbaw, unintentionally provoked a bigger divide by statin: "Dinnae mind her, Dougie. It's probably jist her time ae the month again. Yae, ken how they git when they're in heat."

Ma first instinct wis tae smile but ah managed tae compose masel. Which wis a gid joab tae because she looked as if she wis aboot tae spontaneously combust at the mere thoat ae his remark. A few seconds passed where we jist stared at yin another. Wae naeboady quite sure how tae respond. In the back ae ma mind ah thoat this wid be the moment where we wid hear 'Doof Doof', like yae famously hear at the end ae each EastEnders episode. Then, withoot much warnin, Megan slammed the wad ae notes she wis coontin oantae the coonter and yelled, "You cunts make that shower ae shite Trump look like a fuckin feminist!" Naeboady else in the shoap seemed tae pey the commotion much attention, probably because they wur either greetin or tryin tae find the location ae their fallen joackey's hoose oan google maps. Then she sprung fae her seat and stormed through tae the backroom. Tae ma surprise, Paul didnae seem fazed by her ootburst and it wis as if he knew suttin ah didnae. He jist shrugged it oaf: "It'll be soond. Ah'll lit her go haime an hour early."

Paul began whisperin and gestured fur me tae come closer. So's tae avoid any unwanted ears fae listenin intae oor conversation. And the reasons fur Megan's volatile mood soon became understandable.

"She caught her boyfriend gone doon oan someboady. Her ain brother if yae kin believe it."

If ah hud a mirror in front ae me, ah'd be guessin ma facial expression musta resembled suttin no seen since Bill Cosby turned up tae chaperone some cunts daughter tae a sweet sixteen pairty.

"Eh okay" ah says. Still gripped intae a state ae confusion by this revelation.

"Aw, did yae hear aboot the punch up doon at The Carousel oan Saturday night?" Paul wondered aloud.

He hus alweys been a gossip, and tae be honest, ah'm surprised he husnae goat his ain column in The

Leither. Gone by his first bit ae news, ah wis anxious tae hear aboot the sequel. In passin someboady hud mentioned the pub hud been "fuckin carnage" oan the night in question.

Ma mate hud been oot fur a few jars that night and hud seen it aw kickin oaff. He hud briefly mentioned suttin aboot this but hudnae went intae any great detail. It wis suttin tae dae wae a boays teeth. If anyboady would ken the full story ah kent Paul wid. Ah took this opportunity tae find oot maire aboot what hud happened cos ma curiosity goat the better ae me.

"Stevie hud mentioned suttin yisterday when ah bumped intae him in the CO-OP. But he wis in a hurry fur his work so he didnae geez the full story. Dae yae ken what happened, likes?"

Yae could see Paul's eyes widenin as he spoke. It wis as if he wis describin the battle ae the Somme tae me: "Aye, ah wis close enough tae smell the blood. Aldo knoacked this boays front teeth oot wae yin punch."

Ah couldnae understand why Stevie hudnae mentioned Aldo wis involved in the mayhem. Probably thoat it went withoot sayin. Ah love the guy, ken? But Aldo scares the shite oot ae me. "Aye, that's what ah wis telt, some boays teeth. Wait, Aldo did it? Stevie hudnae mentioned that. What hud the boay done likes?"

Paul paused tae hastily scan some bets through his machine. Before he continued and went intae continuin oan wae his eyewitness account.

"Aldo wis standin at the bar. When he caught the end ae a conversation between these two random boays, ah hudnae seen before. Anywey, he heard yin ae thum say 'Tacki'."

"So?" ah asked.

"So Aldo hud thoat the boay said 'Paki'. And yae ken Aldo, Dougie. He hud the boay booked intae the dentist before the poor sod even hud a chance tae explain."

That wis Aldo fur yae, ah thoat. He wis alweys oot and aboot crackin heids at the weekend. Ah yince seen him brek a bar stool oor a boays heid fur wearin a maroon toap. Hibs hud jist been pumped five yin by Herts.

"Fur fuck sake" ah says. "Anywey, why are yae whisperin? Aldo's no even here" ah add as ah take a casual peek aroond the room, jist tae be shaire.

Paul alweys seems like he hus ants in his pants when Aldo's name comes up. He couldnae sit still and seemed as if he wis aboot tae choke even jist speakin his name. "Did yae no listen tae a single word ah jist said" he says. "It's awrite fur you, he fuckin loves yae. Me? He huds me personally responsible if Hibs huv a goal disallowed."

"He's no fuckin Lord Voldermort" ah tell him, as ah hae a giggle tae masel. "Listen, ma first race is aboot tae go oaff. Ah need tae go."

"Nae worries, Dougie. Speak tae yae later" replies Paul.

Ah make ma wey acroass the gleamin laminated flairin. The broad telly screen positioned in the center ae the room is ma chosen destination. Where ah wid soon join ma fellow disciples in chasin that very rare taste ae victory. Maist ae the regulars huv awready taken their uncomfortable seats in front ae the screen and appeared tae huv entered a hypnotic state as they watch the horses bein guided intae the stalls by their riders. Each yin ae thum waitin in anticipation tae hear the commentator mutterin they infamous last wurds: "And, they're off." Ma attention couldnae be taken awey fae the fact that the shoap flair wis littered wae a dozen or so scrunched up bettin slips. Clearly, wae the condition ae some ae thum, they'd been hastily discarded in a fit ae rage. Ma first hoarse, Thomas Shelby, is due tae run at the two 'o cloack at Kempton and it's priced up as a four tae yin second favourite. There wis nae scientific formula involved in pickin this yin. It wis simple. Ah'm a Peaky Blinders fan. Jist imagine fur a second that ah never backed this hoarse and turns oot tae be fuckin Pegasus. Ma wee sister yince loast a pretty decent telly oor a certain 'Easter Road' rompin haime at Royal Ascot. No, that ah heard the last ae that fae ma sister or her fellae.

It's jist hit me thenow but ah've no seen Aldo in here fur nearly a week. Maybe he's jist keepin his heid doon efter that misunderstandin wae that boay at the boozer. Naeboady fae Leith is daft enough tae dae a silly hing like phone the polis oan him or even git medical attention fur the poor cunt he's jist done in. But ah do find it weird he's no been intae the bookies lately. Usually, as regular as the mornin paper, ah wid find him oan yin ae they machine's as he force feeds the hing his hard-earned drug money. Though yae cannae quite blame thum machines or the drugs fur sendin him oor the edge, Aldo wis jist born that wey. His mother and faither own and run a popular Indian takeaway cawed 'A Little Taste of India' oan Portobello High Street. Aw his faimily are hard workin, law abidin citizens, and they didnae ever toil fur money. So there really wisnae any excuses fur Aldo and the borderline insane wey he's turned oot. Ah've been gid mates wae him ever since oor first day at primary school and wur still close tae this day. He might be a lunatic but he's oor lunatic, if yae ken what ah mean.

Tae kill the boredom in between ma races ah've decided tae hae a wee flutter oan the dugs. Three ae thum ah backed and none ae they bitches could even gee me a decent run fur ma money. Fae ma view ae the screen ah kin see the runners fur the three o' cloack at Doncaster are in the stalls and they're ready tae go.

Ma hoarse, Melody Park, is caught oaff the pace early oan. In ma heid right noo ah'm tryin tae visualise tyin this useless joackey tae the back ae ma burds motor and draggin him doon Princes Street. Of course, he wid be tarred and feathered beforehand and publicly flogged accordingly, ken? Game ae Thrones style.

Bit wait. Pit the pitch forks doon fur a second, cos he's startin tae move steadily up the field. Maybe this is the right time tae deliver yin ae ma famous motivational speeches: "Go oan ya dirty bastard. Hit the fuckin hing!!" Ah'm nae Martin Luther King but ma few words ae encouragement appear tae huv worked as the fucker hus jist managed tae pip another hoarse oan the line. As ahm jumpin aboot the shoap flair and shoutin "Yes!!" ah kin hear aloat maire boays scowlin: "It wis jist a matter ae time before that cunt fucked someboady." Now ah kin feel ma hert skippin a beat and ma blood pressure seems tae huv went up a notch or two efter aw that excitement fae the race. The hing is though yae kin ask any seasoned gambler and they'll tell yae what ah'm aboot tae say: "A gid start doesnae add inches tae yur dick."

The nixt hoarse ah've goat runs in the half three at Kempton. It's cried Echo Falls and ah've done this yin before. Ah ken fae watchin it run in in fact that the hings goat a pair ae baws oan him and he's no afraid tae yaise thum. Takin a brief scan ae the room and seein the punters quickly fill oot their bets ah reckon every yin ae thum wid take odds oan the world endin themorn. Yince yae develop a gamblers mentality anyhing seems like a bet in the makin. Yur jist left wae the paralysin thoat that keeps whisperin intae yur ear: "A price is a price."

As Megan takes ma bet and scans the hing she seems tae huv calmed doon and even oaffers me a smile. Fuck this, ma next dug doesnae even make it oot the trap. Ken, its time like this, fur a split second, ah wonder if the Chinese and Koreans are oantae suttin. Wae readin the form ae ma nixt hoarse ah've goat a bit ae belief that it kin actually win. Efteraw it's won three ae its last five races. Then as ah begin tae drift intae ma ain world ah hear this chalky sniggerin voice fae behind me: "How yae doin ya willy washer?"

Fae that remark ah didnae need tae be Columbo tae ken who it is: Aldo. He alweys makes the same stupid joke anytime ah see him and as ah turn tae face the direction ae where the voice wis comin fae ah'm faced wae a monster ae a boay. Aldo must be aboot 6ft 2 wae a muscular build oan accoont ae bein a weightliftin and droid enthusiast. He hus these tribal tattoos covered acroass his bald heid, which doesnae make him look any less ae a looney tune.

"How many times, Aldo. Ah'm a haime help." As ah attempt in vain tae convince him that 'willy washer' wisnae ma actual joab title.

He pauses fur a few seconds and appears tae be in deep thoat as he processes the information ah've given him. Before developin a cheeky schoolboay smile: "Aye" he says. "But yae still need tae wash the auld cunts, right?"

"Even the elderly are entitled tae a wash" ah point oot tae him.

Aldo decides tae ignore ma coonter argument and expands further oan his feelins aboot the elderly and their contribution tae society. "These auld bams huv too many rights fur ma likin" he says, before he continues: "Free bus fare, preferential medical treatment. See when yae phone fur a doactur's appointment durin the winter guaranteed some antique hus been rushed tae the front ae the que wae the sniffles."

"If yae sae so, Aldo" ah half relent.

"How's yur sister Lucy gittin oan?" enquires Aldo. The baith ae thum hud dated fur a bit back at high school.

"She's jist the same" ah tell him.

Aldo looks tae see if any ae the machines are vacant.

"Is she?" he says. "Ah'm sorry tae hear that."

"Oi" ah say. "She's no like that anymaire."

Ah smile develops acroass his puss.

"Ah'm jist fuckin wae yae. Any winners theday."

"Aye" ah tell him. "Started wae ma first two oan ma lucky 15."

"Gid days. Any tips fur me?" he asks.

"Aye, True Romance in the four 'o cloack at, Kempton" ah tell him as ah've goat a gid feelin aboot this yin. Then again, Neville Chamberlain probably said the exact same hing before Hitler invaded Poland.

Aldo hus no mentioned nuttin aboot the incident at the pub and ah'm surprised. His knuckles look a bit bruised, but since he's no mentioned anyhing ah thoat better ae bringin it up.

He geez me an approvin noad aboot ma tip oan the hoarses. "Ah'll keep it in mind. Listen, ah'm gontae jump oan yin ae they machines. Speak tae yae later, man."

"Nae worries Aldo" ah tell him.

An he sets oaff tae take a chance oan Nickelodeon. And ah turn aboot tae see whether lady luck wis gonnae shine oan me or git me tae touch ma taes. Ah check the telly. Echo Falls is gone great while the rest ae the pack are strugglin tae build any real momentum. Well, apart fae this twenty tae yin shot who isnae dain what wis expected and dyin a quick death.

"Come oan, ya dafty!" ah roar, and ah mimic the joackeys actions oan the hoarse. Frankie wis yasin his experience tae keep the lazy bastard movin in the right direction but the ootsider willnae fade awey and is eyebaw tae eyebaw wae ma yin. Though mine's somehow jist manages tae git it's heid oor the line first. At this point ah'm startin tae feel a bit like James Dean wae ma chist puffed oot and an expression oan ma puss where ah mighta jist cheated oan ma burd. Word quickly spreads through the shoap as it normally wid when someboady is aboot tae take the bookie tae the final roond. It's funny how boays yae crashed a smoke oaff aboot two year ago come up tae yae like a long loast brother yince they smell a potential win. And they're quick tae remind yae tae: "You fuckin owe me."

Ah'm startin tae feel a bit light heided wae aw the excitement in the room. This is the first time in months ah've been anywhere near a win. The last time wis oan yin Saturday efternin when ah wis in the hoose follaein a fitbaw coupon. That hale day the laddie nixt door tae me hud been kickin his baw oor intae ma back gairden. At first ah wis jist tossin the baw back oor tae him as ma teams wur winnin yin efter another at that point. And ah wid go intae the kitchen and huv a soft chuckle tae masel: "Boays will be boays eh." Tell yae the truth, ah wis oan such a high, he could huv been throwin grenades oor and ah widnae huv minded. Then ma final team, Man United, conceded a last-minute own-goal. And guess what's the first hing ah see when it starts tae sink in that ah've jist missed oot oan close tae a grand? Said baw, eh? Floatin intae ma gairden again. Withoot even gein the hing much thoat ah rushed tae ma toolboax and grabbed a Stanley blade before ah headed oot and burst the baw. Yince a tossed the deflated fitbaw oor tae the bairn ah paused fur a bit before hearin the hysterical greetin ae a six-year auld.

Deep doon ah jist wanted tae ken someboady else wis huvin a bad day and feelin the same pain as me. His tears helped, honestly.

Aldo is still fixted oan his chosen machine. Ah wander oor tae him and telt him aboot ma bet but he jist smiles as he seems paralysed by how drawn intae his slot game he is. Maybe ten minutes later ah hear him freakin oot: "Git fuckin in there!" The jammy bastard hud jist taken oot a grand fae his machine. He must huv been takin in what ah wis sayin efteraw cos he rushed oor tae where ah wis standin and informed me: "Ah've jist pit a grand oan that hoarse ae yours, True Romance." In light ae the fact ah wis dealin wae a boay who cheered when Mustafa died in The Lion King ah thoat it wis better no tellin him it wisnae a sure thing at aw. He didnae need the money as he made maire fae sellin snow than a doactur did fae savin lives. Still there wis aloat ridin oan this fuckin horse. Ma two grand, and Aldo's yin. In the corner ae ma eye ah notice this smartly dressed boay enterin the shoap. This bastard stood oot in this place maire than Nigel Farage wid oan the Million Man March. At first ah thoat he wis management comin intae check oan the shoap but yince ah saw him gittin Megan tae fill oot a bet fur him ah knew he couldnae be. Ah goat aw the confirmation ah needed tae ken he wisnae fae oot this wey when ah heard his smooth voice speak aw fluentlike in the Queen's English. A clear sign he belonged here as much as ah did in Morningside.

He's probably jist a middle-class cunt wantin tae dip his taes intae oor world.

The tension is cracklin in the air. The closer the

race gits the maire ah kin feel a tight knoat developin in ma stomach. Aldo is stood nixt tae me at the front ae the screen. His boady language says maire than words ever could as he appears tae huv developed early stage Parkinson's in the last ten minutes. Neither dae ah feel like the fairest in the land at the minute. If anyhing ah must resemble suttin no seen since Christopher Walken at the end ae The Deer Hunter. Oor hoarse, True Romance, hus started the race well and hus goat a few lengths oan the even money hot shot. We baith hud on taegether tae wir slips as the hing begins pullin awey fae the rest ae the field. Me and Aldo start roarin at the screen: "C'moan ya pair ae miserable bastards!" We've goat the lead likes, but wait. "What, the fuck is that?!" Aldo squeals as oor joackey starts wobblin oan the horse. Ma god, the daft cunt hus tumbled under the hoarse and we've fuckin loast. As ah'm tryin tae process what ah've jist witnessed, ah notice Aldo hus crashed oantae his knees.

That's when ah hear the hysterical over-celebration ae that posh boay: "My God! I can't believe I won. Yes!!"

Aldo jist jumps up fae the flair and demands tae ken: "Who fuckin said that?"

Aw ae the line ae people who wur standin behind us jist seem tae disappear intae thin air. Only the boay fae Harrod's remains and noo he is standin alone. Face tae face wae Aldo. Yae ken tell right awey fae the boay's facial expressions that he is aboot tae piss in his pants, there and then. Who kin blame him tae? He probably only gits tae see boays like this oan the telly. Or hear aboot thum in an Irvine Welsh novel.

His puss wis a picture maist likely last seen when Elmer Fudd hud the Easter bunny starin doon a double barrel. In a desperate attempt tae defuse the tense situation, he says: "I'm not looking for any trouble. It was just this was my first bet and I won. I'm really sorry you guys lost."

Aldo took his keys fae his jean poacket, keys which ah assume tae be his hoose yins, and he dangles thum in the boays puss as if he wis attemptin tae hypnotise him.

"Here's ma hoose keys. Ma burd will be finishin her work aboot thenow. Head oor there and yae kin huv yursel a celebration fuck."

The stand oaff between Aldo and the boay hus caught everyboady's attention by noo. Paul, at his usual best, manages tae enrage Aldo further: "Is that no rape?" he whispers.

"Listen, ah'm tryin tae make a point here. The only advice ah need tae hear fae the world's last survin Oompa Loompa will be where tae find the golden ticket" scowls Aldo.

This sends Paul scutterin back oantae his seat. If ah'm tellin yae the truth, ah never peyed much focus oan the potential blood bath that wis starin right back at me. How the fuck could ah? Ah've jist missed oot oan two grand. Ah'm jist like everyboay else in here again, a fuckin born loser. Wae Paul distractin Aldo fur a bit ah could sense a bit ae relief fae the boay and didnae blame him. It boat him a few minutes tae hink. In a moment ae weakness and clarity ah felt fur the guy and ah soon attempted tae calm Aldo doon.

"This boay won Aldo, granted, he needs tae be bit maire modest aboot it," ah says as ah give him a stern glare. "But he goat yin oor the bookie and we kin aw agree there's nae lower form ae human life than a bookie. Jist lit the cunt enjoy his win."

As ah thoat aboot it fur a while ah realised ah might jist git ma heid kicked in tae protect the soartae cunts ah hate. Someboady who wis born wae a silver cock in his mooth. Tae ma shock and the posh cunts nerves, Aldo seems tae take in what ah jist said tae him and he gestures wae his hands that he is ready tae forgive the boay fur winnin by remarkin: "Yur right, Dougie."

Ma curiosity goat the better ae me and before the guy could make a hasy exit ah decided tae take an interest in his win. "How much did yae win? Two or three grand?" ah says.

The posh cunt is grinnin fae ear tae ear as if he wis the joker fae Batman and he laughs oaff ma question.

"I wish. It was only a pound stake. I've doubled my money and that's a good day in the office. Am I right?"

Megan gives me a noad tae confirm this is indeed the cunt's winnins and ah start tae feelfeel ma boady goin under some Hulk-like transformation.

Lookin straight at Aldo, ah advise him: "Yur no gonnae hit this boay."

"Aye, ah ken, ah wis over reactin, it's aw good" he says.

But ah've a different idea.

"Nah, yae wurnae, yae ken why?" ah says.

"Cos ah'm gonnae eat this cunt's fuckin hert, the two quid kid!"

Ah lunge tae rip oot his Adam's apple like yae see in they cheesy Kung-Fu movies, before ah FedEx it back tae his missus. Tae ma surprise and everyboady else's in the shoap, it's actually Aldo who huds me back.

Which geez the boay enough time tae make his speedy exit. Ootae this house ae horrors, they caw: The Bookies.

SEBASTIAN THE GREAT

There's nae denyin it. Ah felt less like a foreigner in Benidorm last year. Than ah do in this very room. A night ae networkin as a writer at yin ae these fancy theatres in the centre ae Edinburgh. Aye ah goat invited through makin the shoart list fur a playwritin competition.

Maist ae the folk in here emit that unmistakeable smell ae private education. They reek ae it. And they drip affluence fae their pours. Yae see ah'm yin ae they nomads fae the workin class, ken? Ah strayed awey fae the pact. Cos ah'm someboady who doesnae believe the middle classes own a patent fur a wee hing cawed 'imagination'. In other words ah'm the great, big, dirty pink elephant in the room.

Ah've soon cloacked a couple ae other writers who, like massel, huv strayed awey fae the flock. Ah spoated thum by the wey they took their complimentary gless ae bubbly fae yin ae the waiters. Like me they looked as if they hud jist been passed the rotten corpse ae a deed bairn. Everboady else appears tae be caught up in the moment as they mingle and chat awey tae each other between exaggerated moothfulls ae smoked salmon sandwiches. Ah'm riddled wae anxiety. Sae unsure ae massel that yae wid hink ah'm aboot go oot and hae an uncomfortable chat wae Letterman. Jesus, here comes a boay who appears tae huv jist crawled oaff the pages ae The Great Gatsby. This forty-somethin lookin boay is certainly dressed fur the occasion. His stylishly messy warm broon hair compliments the fashionable light navy suit that's he's modellin. Suttin that probably coast a small fortune and wis nae doot tailor-made. Even the gless ae bubbly gripped in his hand seems tae fit snugly. And goes taegether as naturally as bacon and eggs. Ah wish he wisnae heidin in ma direction likes but he is.

In a last ditch attempt tae deflect his attention ah've began admirin the laminated flair but tae ma utter dismay this fails tae huv the desired effect.

"Hello" he says. "This is your first event, isnt' it?"

Ah gee him a wee nervous smile. "Aye, this is ma first yin. How did yae ken?"

"Who's Ken?" he asks aw dead pan. Ah jist stare through him. Judgin him fur the complete muppet he is.

"Where are my manners?" he says. Clearly a wee bit rattled. "My name is Henry. Henry Robertson" he tells me wae a warm smile and a herty handshake. A gesture that ah reluctantly accept.

"Ah'm Callum" ah tell him. Before takin another sip ae ma watered doon pint.

"So, Callum," he says, "how long have you been writing?"

"The past five year" ah say "what aboot yursel, likes?"

"Oh, fifteen years or so" he says. "Writing's been good to me, you know?"

"Naw ah dinnae fuckin ken"ah want tae say.

How hus writin been gid tae yae, ya smug, dapper-dressed, intolerable CJ fae the Eggheads lookin cunt? But ah dinnae say that. Insteed, ah jist go: "Sorry tae ask. But what exactly dae yae mean 'writing's been gid tae yae?'"

He sips his champagne. "Well" he explains, "I've made quite a good living from my work."

"A livin?" ah gasp. "Yae mean yae actually git peyed tae write?"

"Of course I do. Why else would I bother to write?"

Ma boady feels numb wae shock. Ah mean yae hear rumours, ken? Hearsay that someboady kent a writer who shagged an author who goat peyed tae write. But this is the first time ah've actually came face tae face wae an actual professional.

"Ah've been peyed only the yince" ah tell him. "And that particular commission wis jist enough tae keep me in beans and toast fur a week."

This sends him intae an unrestrained fit ae

laughter. "Oh, Callum" he tells me, "you're a funny guy! Are you reading tonight?"

Ah might huv taken that comment as a compliment if what ah said wis meant as a joke. But it wisnae. It wis nuttin short ae the truth.

"Aye ah'm readin" ah tell him. "Ah've written a story cawed simply 'Boris Johnston'. Yous could say it's a kindae a dramatic monologue."

"You see him over there?" he says, aw excitedly.

Ma concentration withoot delay is coordinated taewards this elderly guy who's aristocratic wrinkly auld puss seems tae be devourin up the attention he's gittin. An entourage ae well-mannered and dressed to kill fine diners form a timid circle aroond him. Ah'm reminded ae bairns descendin oan the icey oan a hoat summer's day, when ah gaze at this sight before me. Each yin ae thum cannae wait tae be the first tae laugh and clap at his maire than likely poor attempt at humour. Suttin that seems tae send his large almond shaped eyes intae a state ae fever pitch.

"That's Melvin Andrews, the playwright. The Scottish Theatre Fund has just handed him twelve thousand pounds to write a play about why his last one was so bad."

"But if his last yin wis sae bad" ah say "Then why are they commissionin him again?"

"He's one of the chaps" he tells me reassuringly. "You don't question the credentials of one of the chaps. Better to just write a cheque."

Wae that, he excuses himself, before he continues tae circulate the room. Leavin me aw confused, by what wis his soul destroyin revelation.

Fuck me. It coast me twinty quid and the promise ae a gid kidney if she ever needs it, jist tae git ma sister Anne tae sit and watch a five-minute video ae a monologue ah hud written fae the comfort ae her ain haime. If ah'm honest ah cannae really hud it against her. Cos, lits be real. We kent as many astronauts as we did writers when we wur growin up. Jist as ah stoap yin ae the waiters and knoack back another gless ae bubbly. In what is a strategic attempt tae dull ma senses and ma surroondins, ah kin hear this oot ae breath voice full ae a sweetness and rainbow drops comin fae behind me: "I haven't missed Sebastian Wolfston's talk, have I?"

As ah turn tae face the direction ae whoever said it ah instantly find massel practically nose tae nose wae this stylishly dressed woman in her fifties. The sweat is runnin wildly doon her foreheid and her rosy cheeks are glowin.

"Nah" ah tell her. "Ah hink he's due oan stage soon any minute, though."

"Oh, terrific," she gushes.

Before she heids oaff tae the lavish buffett at the other side ae the hall. Where, of course, ah kin only imagine she'll commit food genocide. It husnae escaped me either that the room hus began tae fill up wae maire ae Edinburgh's high society. Ma guess is this is largely due tae the fact that Sebastian is aboot tae take tae the stage. And now there's a young boay fae the theatre who looks as if he's readyin himself tae make some soartae announcement.

"Good evening everyone" he says. "Can you please take your seats. Sebastian Wolfston is due on stage shortly. Thank you. Then there will be readings from this year's shortlisted playwrights."

Withoot even a hint ae warnin,aw the seats start tae be snapped up. But ah'm quick enough oan ma feet tae nab yin ae the last remainin yins. Which, conveniently, is located right in the centre row. Handy timin, likes. Cos as soon as ah plant ma erse oan the seat, oot comes a middle aged elegant looking boay wae readin glesses pushed tae the edge ae his nose. Grinnin fae ear tae ear, so he is. He's goat long and shiny luxourious black hair. Which is only bested wae his Colgate smile and a yellow scarf draped roond his neck like some Eton educated disciple. This guy seems tae be actin as the poster boay as tae why ah cannae shake this internal feelin that ah'm a traumatised sheep stuck inside a lion's den. He opens up jist the wey ah imagined he wid. By tellin us aw aboot his coontless accolades and previous appearances at selt oot venues. And as ah take a quick glance aroond the hall. It's visibly clear tae me that each person here is salivatin wae every self-indulgent word which spews oot fae his privileged mooth.

"I know a lot of you are just starting out on your writing career" he says. "But just remember one important thing. Your first commission is likely to be no more than five thousand pounds. But don't worry. Eventually you still start to make real money …"

Jesus fuckin Christ, ah tell massel. It really is bams like him who make me yearn fur the days when the upper classes lived in fear ae the common man. Does this toff realise he's addressin someboady who's last hoose search wis spent oan the campin section at the Argos website? And as a result, in ma heid ah'm screamin: "Ah wid gee yae a vital organ fur five grand, dafty! ma nephew made maire money workin a paper roond last summer than ah did wae ma writing!"

Though, of course. Ah dinnae scream anyhing. Ah jist sit there smilin and applaud back at him. Along wae the rest ae these performin seals.

"We'd now like to ask Callum to step up," he sais. This is the moment ah've been tryin tae furget aw day, ma first public readin. In a room full ae folk, it's kind ae surprisin that ah've never felt maire alain in ma life than ah do right noo. As ah'm stood there gawpin intae the sea ae Edinburgh's self-proclaimed elite. Ah suddenly realise that what ah'm aboot tae read might jist empty the fuckin room. But wae this in mind it somehow brings aboot a sense ae bravado. And ah soon decide tae jist go fur it.

"This monologue's cawed, Boris Johnstone" ah tell thum "No Boris Johnson, Boris John. Stone. It's aboot how that Tory piece in Downin Street hates folk who talk like me. Ah hope yae enjoy it."

There's a hesitant and reluctant roond ae applause efter ma introduction before ah sharply wire in.

> *"They want blood. Ma heid oan a platter. And nuttin ah say, or dae, will appease the bastards, either. The Great British public jist dinnae gee a fuck. You'da thoat ah'd ate the fuckin Bat massel."*

This openin suprisinly draws a chorus ae sniggers that echo throughoot the crowd. And their reactions help me tae compose ma unsteady legs long enough tae continue oan readin ma story.

> "It's actually boggin the wey they speak aboot me. Ah've hud auld age pensioners joinin Twitter fur the sole purpose ae tweetin what a vile evil cunt ah um. And when ah wis in the hoaspital ah even hud an actress gone oan telly wishin me death. Fur which she wis universally congratulated fur huvin the baws tae say the right hing. Ma ain wife turned roond tae me and telt me that she admired the wuman's passion and honesty. Oh, they Chinese motherfuckers. Economy boomin, street parties every other day. THE WHO constantly praisin they'm fur their conduct ever since the fuckin ootbreak did begin. It wis they'm who started it, fur fuck sake! ..."

Ma mooth feels drier than a pavement oan a hoat summers day. And ma anxiety induced boady feels numb wae increasin nerves. But the laughter in the room is apparently contagious. They actually hink what ah'm readin is funny.

> "... Anywey ... " ah continue oan. "Matt tried tae reassure me at yisterday's COBRA meetin that it'll aw blaw oor yince the vaccines git developed. Tells me tae jist relax and no git too worked up aboot the situation. But this is the same boay who practically begged me tae ban

him and the rest ae ma cabinet fae appearin oan Good Mornin Britain "He's so scary" he said. "He shouts at me and demands answers I don't have." The brass neck ae the bastard, eh? Tellin me tae calm doon. Honestly, ah coulda punched his cunt in. Right there, and then."

This wee segment is met wae silence. Nae maire laughter. And it's as if ah kin feel aw their eyes judgin me at the same time. It's too late tae back oot noo though, Ah decide. And so wae an air ae caution. Ah dually press ahead taewards the conclusion ae the readin.

"...And then there's the supreme leader ae the tartan mafia. That Nicola Sturgeon, cow. Takin every opportunity that comes her wey tae upstage me. She struts oan the podium, pretendin tae hae aw the answers. Whilst the media and public, alike, lovingly eat up her words like a fat bairn in a sweety shoap. Whereas when ah come oan stage they huv me doon as a clueless Honey Monster who couldnae lace her bits. When she says she's bein "Guided by the science" aw you see are an array ae undertandin, noaddin heids. But when ah say the same hing, eh? Then ah'm nuttin but a lyin, gibberin, arsehole. But like ah've said fae day yin. She kens fuck aw aboot real leadership. Ah mean, where's her contempt fur the common man, eh? Where's the disdain? She talks aboot the peasants like they matter. Her dishonesty is absolutely reprehensible."

The closer ah'm gittin tae the finishin line. The maire ma erse hus started tae squeak and ah'm in real danger ae sufferin fae stage fright. The crowd, it seems, hus went fae a few sincere laughs tae a deid soond ae nuttin.

"...And jist when ah thoat hings couldae git anymaire depressin. Here ah um, eh? Mean, nae doot yuv probably awready noticed, likes. But ah've started speakin in a horrible Scottish accent. Woke up this mornin nixt tae the wife. And when she asked me tae pit the bedside light oan, ah wis like: "Yuv goat fuckin airms, huv yae no?" She shat herself wae that, ah swear. Thoat some dirty sweaty Jock hud done awey wae me durin the night and crawled up nixt tae her. But when she realised it wis actually me who wis speakin, she started tae laugh. She thoat ah wis playin some kindae perverse joke oan her. Which couldnae huv been any further fae the truth. And now we've since decided between the pair ae us that it must be the stress ae everyhing that's been happenin. Or, mibbie, even a new symptom ae the virus itself. Fuck knows, likes. But what ah do ken fur sure is ah'm self isolatin until ma beautiful English mother tongue starts workin again. Only the wife kin ken aboot this. Naeboady else, ever. So, ah jist wrote an email tae the press office. Explained tae they'm how they should tell the world ah'd nipped roond tae ma sister-in-law's the other night and she's texted me tae say she's tested positive. And that *naeboady fae The Cabinet, or the rest ae the ootside world, gits tae see, or speak tae me, under any circumstance. Until such times when ah tell them they kin. Actually, ken what? Mibbie yasin the sister-in-law as ma close contact wisnae a gid idea. They'll probably say ah musta been shaggin her. Smashin."*

Wae the last word ae the monologue ah feel as if ah've jist taken ma first breath. Ah look up fae the stage and aw kin see is aboot disgruntled lookin pusses. Then, jist as ah'm aboot tae run oaff straight oot the buildin and bubblin like a school bairn, a boay in the centre row stands up and starts clappin. An act ae kindness which somehow sets oaff a chain reaction. But that, ah guess, is the hing when it comes tae middle class audiences. If yin ae thum clap then they aw soon folloae. Sayin that, whatever their reasons, eh? In that moment they didnae half make me feel gid.

That boay Sebastian who introduced me earlier comes wanderin taewards me and tae ma surprise is clappin ma performance tae.

"That was a really interesting piece you just read, Callum. Tell us what inspired such a thought-provoking piece of writing?

Ah smile.

"It wis inspired by ma hatred fur Boris Johnson and of course ma own personal loathin fur the Tories."

Sebastian stares wary intae ma eyes. Before he bursts intae a high pitch fit ae hysterical laughter. An action that quickly spreads throughoot ma spectators who join him in a laughin at ma comment. And then ah hear a familiar voice hysterically chucklin and the boays voice sais: "That's classic Callum." Said voice is Henry who ah wis chattin tae earlier at this event and naeboady seems tae be takin ma remark seriously goin wae the wey their aw laughin. But ah wis bein serious, deadly fuckin serious.

As ah make ma wey back tae ma seat ah cannae help but hink that ah've played aw ae these posh cunts at their haime groond and actually won. Ma mooth might have nae saliva left and ma hert is still racin uncontrollably, but ah'm tellin yae this is the best ah've felt in a longtime.

THE SLEEPING GENT

That's her, eh? Cow's upped oan her taes and left me. And no even as much as a farewell blowjoab tae help ease the pain. Ah pleaded wae her tae see sense, likes. Tae show some mercy n that, ken? Ah said: "Yae cannae jist throw awey sivin year like a yaised rubber, Justine. Cunts charged wae murder serve less than that." And did she listen? Did she fuck. Insteed, aw she done wis hiss at me. Cool as you like "Silly me, Douglas" she said. "I forgot you're a student of Shakespeare." Which, if truth be telt wis basically her wey ae yit again remindin me that she wis a member ae the high caste and ah wis destined tae furever slumber in the low. Ken suttin, eh? the wey she wis gone oan you could be furgiven fur hinkin that this wis aw ma ain dain. Cos, ken? There wis nae mention ae the fact it wis her ain idea fur us tae open a joint bank acoont in the first place.

"Come on!" she hud said "Let's make an appointment at RBS."

Ah mean, kin yae fuckin believe that, eh? Ah mean, they wur her exact words, fur fuck sake. Stood there. Choosin tae furget, inexplicably, mind you. The yin fact aboot me that her and the entire world kent that ah um a degenerate gambler. Thus, when it comes tae money, ah'm no tae be trusted under any circumstances. And so, if yae ask me this is aw her fault. Cos the mere suggestion ae shared finance is insanity. And wis pretty much the same hing as handin me a loaded gun. Mean lits be serious fur fuck sake. Does she really hink ah like how she earns twice as much as me when she's oot there teachin snotty nosed brats? Cos lit me tell yae, ah dinnae. It's demoralisinly emasculatin. A truly sad and depressin state ae affairs. And the only consolation this vile fact ae life offers is ma knowledge that it's jist the wey hings are. There's buggar aw anyboady fae where ah'm fae kin dae aboot it, either. Except, of course, unless we gamble. Efteraw, the system is designed tae keep yur average heterosexual boay doon.

So, if you really hink aboot it, it's hardly ma fault, is it? And neither wis the actual cause ae us two partin weys. Ah mean, ah dinnae like talkin aboot it. But how wis ah meant tae ken that the selfish bastard ah'd backed that day wida went and snapped his neck efter failin tae sail oor the final fence. But ah shoulda kent better though, eh? Ah guess if it kin happen tae Superman then ah suppose anyhing is possible. No that there's any comfort in kennin that bad luck kin strike doon oan yae at any moment. No fur him in the wheelchair. And certainly, no fur me, wae nae burd. But fuck it, eh? Ah should jist stoap dwellin oan it. Makes me angry everytime ah replay the race in ma heid. That useless midget bastard, eh? How could he no huv jist steyed oan!

Anywey, ma plan wis tae huv the money back in the accoont before she wid even notice. But ken? Needless tae say, the bad luck continued and oaff she went, runnin roond tae her parents hoose oor in Morningside. And ah dinnae need tae be a fly oan the waw tae ken how that conversation musta went when she telt thum. Pair ae miserable bastards that they are. They two wretched slobs huv hud it in fur me fae day one. See, they've alweys felt their precious princess wis too gid fur the likes ae me. But clearly, likes. Well, they dinnae ken what she hud up her erse last week. Jist wait fur the revolution tae happen though.

If ah'm honest, takin the grand fae the accoont and pittin ma faith intae an animal that even David Attenborough wid consider a dirty lame fuckwit, Ah'm shaire didnae quite help her mood. However last week ah wis suspended fae ma joab pendin an investigation and it's this ah hink that really goat her back up maire than anyhing else. An auld gent ah helped tae look efter died suddenly when he ate suttin and as it turns oot there wis a peanut in the hing. The polis huv awready been roond tae question me but like ah telt the boays in blue: "Ah wisnae even there when it happened."

No that me bein absent fae the scene coonted fur anyhing. Fur ma carin employers telt me tae git loast until they cairy oot their ain enquires and huv croassed aw the T's and doated the I's. And aw ah goat fae her wis little understandin and even maire naggin.

"He was your responsibility, you were his carer" she says. As if ah didnae hear enough ae that fae Brian's daughter and the rest ae his enraged family. This wis a boay who survived the might ae the Third Reich and a Japanese POW camp but in the end it wis a simple peanut who cawed his number. Accordin tae what ah heard his windpipe swelled up like a hoat air balloon and his eyes nearly popped oot his heid, jist tragic.

Lately though, ah've been a bit like a young fresh pussed actor who finds himself oan the set ae a Kevin Spacey film. There's nae two weys aboot it. Ah ken it's jist a matter ae time before ah'm bent oor and fucked. The maire time wuv spent apart ah've came tae realise that Justine wis almost like family tae me. Christ, ah'm loast withoot her and fur the past two days ah've been eatin nuttin but soup fae a tin. Hundreds ae pleadin messages ah've sent her and no even as much as a 'Go fuck yursel' huv ah goat. Ever since she pissed oaff, ah've no even left the hoose or spoke tae a single soul. Ah cannae face anycunt withoot the fear that ah might burst intae tears. Fuck me ah need tae see Craig and especially that cunt Aldo like ah need tae witness Herts liftin the Scottish Cup again. Ma reflection in the hallwey mirror only serves tae remind me ae how bad losin her hus become. There's nae fuckin denyin it, ah'm certainly no lookin the fairest in the land.

Dinnae tell me, ah ken that knoack oan ma front door. Either it's the bailiffs or it's Aldo come tae inject his ain lethal dose ae misery intae ma awready shitty existence. Sure as shite tae. As ah answer the door ah'm faced wae the steroid induced psycho that he is. Aw dressed in his customary light blue adidas tracksuit which hus been lifted straight fae the back ae van.

"Aw, it's you Aldo, Ah suppose ah better invite yae in" Ah says reluctantly.

"Fuckin charmin" snipes Aldo

As ah make wey back through tae the livin room ah kin feel a cauld snap in the air wae the front door open and so ah remind Aldo tae shut the fuckin door behind cos it's sae baltic. Enterin the livin room ah resume ma position oan the airmchair wae the intent ae continuin ma journey ae self-pity and loathin. Aldo makes himsel comfortable oan the cream leather couch opposite and produces his weed tin fae his pocket. Fae the moment he reveals the hing ah kin smell that familiar sickly aroma omittin fae it. He then pulls oot a packet ae silver king size Rizla ciggie papers and begins rollin a joint oan the gless coffee table.

"Where, the fuck huv yae been?" he asks.

"Ah loast ma joab" ah tell him.

"Really? What the fuck happened likes?" he probes aw enthused n that

"Yin ae the auld yins ah help tae look efter died. Ah've been suspended fae ma work pendin an investigation."

Aldo, who by now wis finishin lickin the papers taegether says withoot hesitation: "What wis it, a mercy killin?"

A hertless remark which sends me oan the defensive.

"Ah didnae fuckin kill him" ah says. "He died cos he hud an allergy tae peanuts."

"Aw, ah hear yae loud and clear" he tells me, smug and shaire ae himsel. "A peanut done him in."

"Listen" ah tell him. "Ah'm in nae fuckin mood, mate. Justine hus left me."

Tae ma surprise he brushes oaff this piece ae information as if it wur auld news.

"Aye, ah ken. Ah wis sorry tae hear it" he says as he lights the joint he hus jist expertly prepared.

"How dae yae ken?" ah demand tae ken. "Ah oanly foond oot masel two days ago and ah've no spoken tae anycunt."

"Ah bumped intae Justine yisterday at that posh coffee shoap in the centre ae toon 'Sicilia'. She wis wae some flash cunt cawed Mario."

"She wis wae Mario?" ah snap, "that fuckin chippy owner?"

"Ah ken this cunt is probably geein yur burd her medicine the noo. But there's nae need fur racial slurs" remarks Aldo. Efter lovinly jumpin oan his high hoarse.

Ah stare straight through him though withoot even expressing a hint ae any emotion.

"What the fuck is gone oan here" ah think tae masel. This twenty-four-carrot lunatic is somehow takin the moral high groond wae me.

"What, did yae jist say" ah respond in a state ae shock.

Fae the look ae his bloodshoat eyes ah kin tell he's beginnin tae feel the effects ae his spliff.

"Well, mate" he says. "Jist cos he's Italian

doesnae mean he's a chippy owner does it? That's some low belted stereotypical pish."

"Aye" ah tell him "but ah ken that cunt Mario. He went tae school wae her. His family own a chain ae chippys."

"Aw, ah see" casually responds Aldo.

"Ah cannae believe this shite" ah tell him. Jist as he leans oor the coffee table tae pass me the joint. But ah jist wave him awey. "Ah've jist loast ma burd and ma joab in the space ae a week. Fuck yur weed."

In this sortae situation the last cunt yae want tae huv aroond yae is Aldo. Though this wis the situation ah foond masel in. He's alweys hud this ability tae move yae fae a big pile ae shite tae an ocean ae steamin hoat rancid piss and he kin place yae there aw in a single thoattless sentence.

"Either that cunt Mario hus grown a third airm fae somewhere or he's goat a big cock" Aldo explains tae me.

"Eh?" Ah says, in a bemused daze.

"Well" says Aldo "ah wis standin nixt tae the boay in the bog takin a piss. And yae ken me, mate. Ah'm nae pilly biter but see when ah glanced oor tae him? Ah'd nae choice but tae catch sight ae the hing. Nae fuckin wurd ae lie, mate. It could gee an orgasm tae a fuckin killer whale so it could."

And this wis jist the image ah needed in ma heid. Mario and his monster cock.

"Huv yae jist come here tae make sure ah'm fuckin suicidal?" ah ask. "Mean, dae yae no consider yur work here done yit, Aldo?"

Wae ma reaction ah kin tell he's a bit rattled.

"Oi" he gasps. "Dinnae be hinkin ah've come here tae kick a mate when he's doon. Perish the fuckin thoat. Ah only came tae invite yae fur a pint wae me and Craig themorra doon at The Carousel. Craig's goat a new tart he wants us tae meet, true love apparently. Aw and its quiz night tae. And as it happens wur shoart ae a boay n aw."

"Well ah'm too fuckin depressed tae be bothered wae that pish" ah tell him. "But cheers fur the offer."

"Listen tae yur uncle Aldo, mate" he says. "She's awready moved oantae bigger and better hings, nae pun intended. And lit's be honest, eh? Wae an erse like that she wis always gonnae find a new cock tae knaw oan. So why the fuck should you be stuck in the hoose oan yur todd?"

There wis nae wey ah wis gonnae admit it tae him but he wis right. She's oot enjoyin hersel and ah'm stuck in here oan suicide watch, fuck this. And ah kent fine well that the quickest wey tae git him tae fuck wis by agreein tae go.

"Right" ah sigh "if it gits yae tae fuck then ah'll come. But ah'm no enterin nae fuckin quiz. Ah'll be there fur half eight."

"Ah knew yae wid see sense, mate" he says as he gits up tae leave. "Ah"ll see yae there at half eight oan the dot, then."

Ah decide tae be there at The Carousel bang oan time. Still nae word fae Justine, fuckin cow. And ah swear doon if ah find oot that Mario cunt really hus touched her, then ah'll no hink twice aboot takin Aldo's collar and leash oaff him and littin him set aboot the prick. In ma haist ah managed tae find a grey polo shirt and a pair ae Firetrap jeans tae wear thenight. Maist likely Aldo and Craig will awready be half pished and oan their tenth line ae snow by the time ah git there. Quiz night means the place will be fuckin mobbed wae aw the desperados who huv eagerly brushed up oan their general knowledge. As if there wis a million quid oan offer and no a fifty quid voucher fae Argos. This boozer is the sortae place yae widnae inflict oan yur worst enemy. Hence, why ah only drink here wae these pair ae clowns. No long efter we first started datin ah managed tae talk Justine intae comin doon fur a wee drink. She wis nae different fae any other punter fae the toon. Ah mean, even the posh cunts hud heard the horror stories aboot the dump.

So, naturally when ah first floated the idea she gave this expression ae sheer panic which wis instantly splattered acroass her beautiful wee puss. And ah quickly foond masel bein reminded ae the look ah goat fae the manager ae the hotel that time ah wis doon in London. He gave me that very same rabbit caught in the heidlights glare when ah peyed ma bill exclusively in Scottish crisp twenty quid notes. Post-Traumatic Stress Disorder ah hink the doacturs caw it. Turns oot Justine's reluctance tae visit The Carousel wis well placed, n aw. And she swore blind efterwards that it wid be her first and last trip there. She never did go intae much detail as tae why she hud hated it sae much. But ah reckon it hud suttin tae dae wae the fact that a boay loast an eye oor a two quid game ae pool.

Tae be fair, likes. Yae jist need tae consider the school she went tae in order tae fully appreciate why it is she goat sae spooked by what she hud witnessed. She went tae yin ae they places where they check yur parents bank balance before agreein tae lit yae step inside. St John's Academy wis cawed. Nae doot yuv heard ae it but in case yae huvnae then "We Are All Posh Cunts" is actually the school motto. A place where a square go wid often be settled oor a quick-fire spellin bee. Whereas me and aw ae ma mates attended Ainslie Park and if yae left a square go there no needin a blood transfusion then it wis considered a gid day at the office and you could walk awey wae yur battered heid held high.

Me and Justine, eh? Two lovers fae different sides ae the Edinburgh tracks. Different sports, different worlds. And it wis that night in that hell hole ae a pub, that first made us baith realise jist how far apart in the social peckin order we really wur. Ah mind noticin that by the time we went tae stand up and leave that her usual golden broon glow hud been replaced by a chalk white complexion. And ah recall calculatin that if we didnae exit sharpish then she'd soon be bokin aw oor the drinks which wur scattered oan oor table. She hud entered the pub lookin like a million quid. Yit by the time we left, she wis somehow resemblin the dishevelled Nick Nolte's infamous mugshot. And that's what yin night in a place like The Carousel kin dae tae someboady.

Ah stroll through The Kirkgate. A wee shoartcut taewards The Carousel. The place appears tae be unusually quiet. Though it doesnae take me long before ah cloack the familiar sight ae a group ae the self-proclaimed Leith Young Team standin oan the corner.

There must be a gid twinty ae thum and ah kin see that a few joints and cheap boattles ae Buckie are bein past aboot. The shoapkeepers fae here hate these wee bastards cos their presence obviously pits oaff the regulars. Especially at the weekend when there's maire chance they're oan suttin. Jist the other day ah wis readin in The Leither that this Dominos delivery driver boay goat set aboot oan by this mob. Accordin tae what ah read the poor sod took the wrong turn and made the novice choice ae walkin oan fit. Before he kent what wis happenin, he foond himsel spendin a night in The Royal and hud goat the satisfaction ae kennin he hud jist done the caterin fur The Leith Young Team's weekend piss up. Different days fae when me Aldo and Craig roamed aboot this wey. Back then if yae goat a gid kickin it steyed between you and the other boay. Nowadays though these wee mutant fuckwits video the hing and before yae kin even regain consciousness you've goat a million hits oan youtube.

Justine wis alweys whingin in ma ear aboot how ah shouldnae be best mates wae Aldo. Anytime his name came up in conversation aw ah wid git fae her wis, "I don't know how you can be friends with him. He's a stain on society." Ah mean, dinnae git me wrong, she hinks Craig is a fanny tae but at least she's marked him doon as a loveable yin. But no Aldo though. She cannae see anything endearin aboot him and if ah'm honest ah kin hardly blame her. Mean, his ain psychiatric report fae Saughton clearly states that he's prone tae 'psychotic tendencies'. The cunt actually hus it in writin he's a looney tune. And you kin often find him quotin fae the report wae pride. Like, ah dinnae really need some Eggheid wae ink tae come tae that conclusion. Ah'm no Stevie fuckin Wonder, ah kin see it wae ma ain eyes.

Yit, yin time, when Aldo's name came up, ah foond masel jumpin tae his defence.

"Listen, Justine"ah telt her. "You kin say what yae want aboot him, but ah'm tellin yae. Aldo wid surprise yae."

She wis lyin in bed dain some school markin, eh? And suddenly stoaped what she wis dain.

"Enlighten me, then" she said. "What has Aldo the Great done, that is so wonderful?"

Tae ma ain surprise ah wis genuinely excited aboot explainin Aldo's character. But when ah hink back now then ah reckon ma enthusiasm in leapin tae his defence mighta been explained by the fact ah hud jist watched 'My Cousin Vinny' fur the first time in years.

"Well" ah telt her."A few year back, this boay fae Granton moved oot this wey. And word goat roond he wis dealin tae aw the young yins."

"Okay, and?" she asked curiously, if no a wee bit sarcastically.

"Ah'm gittin ther" ah said. "So, as soon as Aldo heard aboot what wis gone oan, he went mental. Ah mean, proper oaff the radar. It then took him aw day but eventually he tracked the boay doon tae a flat in Pilton. The pavements run rid that day. Efter the surgery ah heard the boay did a midnight flit and never even selt as much as paracetamol tae the bairns again."

Efter digestin this piece ae information she conceded "Well, maybe I was too hard on him. I don't condone violence. But I guess you could say that this time it was in the name of a good cause. Saving kids from drugs is so important."

"Savin the Kids" ah laughed. "Wur talkin aboot Aldo here, no fuckin Bono. He jist hus a strict zero tolerance policy oan cunts stealin his customers."

She immediately started chokin oan her cup ae hoat chocolate and ah foond masel rushin oor the bed tae pat her back.

"What!!" she gasped. "I thought you were telling me something good about him. He needs locking up!"

"Listen" ah reassured her. "Ah wis tellin yae suttin gid aboot him. He might be a psychotic lunatic but yae cannae deny he's no committed tae his work." But there wis nae maire hope ae convincin her that Aldo wis undeservin ae her hatred. And fur the rest ae the night she never spoke another word tae me.

Starin eyebaw tae eyebaw wae the shite hole that is The Carousel this place is a sight fur sare eyes. The windaes are protected by steel bars and the ootside wah wis covered in rid graffiti. As ah git closer tae the entrance ah catch a glimpse ae a few ae the regulars who are huddled in the small sheltered smokin area. And so, ah promptly gee they'm each a wee wave and smile ae acknowledgment. Before ah kin even make it tae the bar ah'm hit wae the stale smell ae drink and smoke. Since ah've been wae her ah've scaled back ma nights oot wae the lads. This wis the first time in a long time that ah'd went oot tae a pub withoot the Pope's blessin. The place is mobbed. Jist as ah thoat it wid be oan a Friday night. And the first hing ah kin hear when ah walk inside is the raised voice ae Aldo. Even Oasis's Wonderwall blastin fae the jukeboax cannae muffle his screamin voice. The commotion ah wis hearin seemed tae be comin fae the seated area at the back and an educated guess wid tell yae his latest victim wis none other than Craig.

"The didnae play fuckin snap in the Wildwest, ya daft cunt!"

Naeboady else in the pub seemed tae pey the hale hing much attention. Probably because they thoat the same hing as ah do: "That's Aldo fur yae." And fae what he wis sayin yae didnae need tae be Hercule Poirot tae ken that the quiz hudnae quite went tae plan. Each time ah'm in here the place alweys feels as if it's permanently 1988. Which wis probably the last time its decor hud seen as much as a lick ae paint. Maist ae the seatin hud seen better days n aw. The only hing that added a bit ae colour tae the place wis the emerald green picture frame that wis positioned proudly behind the bar. Which jist so happened tae state the sentiments ae maist ae the folk here: 'Hibee Til I Die.' Some hings here dinnae change and you could also say the same hing aboot Auld Maggie. Who, as per, wis busy pullin pints. She wis yin ae they fifty suttin year auld women who couldnae git oor the fact she wisnae twenty yin anymaire. Ah kin still see she's wearin that same shoart black skirt fae the last time ah saw her. And her hair's still dyed bleach blond. In what ah kin only guess tae be a desperate attempt at disguisin her age. But she kin dae fuck aw aboot her skin. Which appears tae resemble the texture ae a crocodile. And then there's, Archie. The owner ae The Carousel, who wis also slavin awey behind the bar. He's auld tae and looks a wee bit like Geppetto fae Pinnochio. Dinnae lit appearances fool yae though. Cos growin up ah heard stories aboot how he wis yince yin ae the maist feared faces in the hale ae Edinburgh.

It's no long before his gravelly voice is cawin me oor.

"Dougie, son" he says. "Come here fur a minute, will yae?"

"Awrite Archie, what's up?"

"Jist wanted tae say how sorry ah wis tae hear yuv been dumped." He then pulls a pint and passes me it. "This yin's oan me. But, here. Jist dae me a favour, eh? And keep an eye oan Aldo. He's gone fuckin nuts ever since him and Craig loast the tie breaker. And ah dinnae want any trouble here thenight."

"Wait, how did yae hear aboot me and ma burd? Wis it oan the fuckin news or suttin?"

"Aw, Aldo's been tellin everycunt aboot it. Gittin pumped by an Italian wae a huge cock, is she?"

"That's jist fuckin great!" ah says. "And no, she's no! Listen ah need tae go. Cheers fur the fuckin pint."

Ah make ma wey through the crowd taewards the back where ah find Aldo and Craig sittin. This wis the first-time ah hud seen Craig in a few weeks and ah wis a fairly welcome sight. He's a shoart stalky built boay wae shoart auburn rid hair. When ah reach thum Aldo's still gone at him aboot the quiz.

"Ah kin hear you cunts fae the other end ae the room" ah tell they'm.

Craig stands up and shakes ma hand. "It's gid

seein yae again, Dougie. Sorry tae hear aboot yur missus, by the wey. She hud some erse oan her mate."

"Jesus fuckin Christ, Aldo. Is there anycunt yuv no telt?"

"Well, he didnae hear fae me did he? He bumped intae someboady else ah'd telt and it wis they'm who telt him. So dinnae fuckin blame me, mate."

"Aldo's right Dougie. It wis ma neighbor who telt me."

"Fur fuck sake" ah crack. "Is there anycunt in Edinburgh who doesnae ken?!"

As ah sit doon oan ma tattered seat nixt tae thum. Merely fae jist observin their constant sniffles and constant fidgetin. It soon becomes clear as day. They wur indeed baith oan the ching.

"Fae this cunts hissy fit" ah say, as ah gesture tae Aldo, "ah'm guessin the quiz didnae go well then?"

Fae the sheer rage in Aldo's eyes and the worryin glances ah wis gittin fae Craig ah could sense this wis summit ae a touchy subject.

"The fuckin tie breaker question wis: 'What caird game did Steve McQueen play in the film 'The Cincinnati Kid.'"

"Poker" ah tell him, deadpan, and admittedly a wee bit arrogantly.

"See" he says "that's why ah wanted tae here. Cos ken what. This daft cunt jumps up and says 'snap'. Fuckin snap!"

"Ah said ah wis sorry, Aldo" explains a pleadin Craig. "He said 'The Cincinnati Kid' so ah thoat he wis talkin aboot a bairn. Efteraw, he's cawed kid."

Turnin tae face ma direction the veins in Aldo's hied are pulsatin and he looks as if he's aboot tae spontaneously combust. He slams his fist oan tae the table which nearly causes its legs to buckle and fur me and Craig tae run fur cover. "The Cincinatti kid wis a cowboay" he says. "When the fuck did yae see an auld western film where their shootin up a toon oor a game ae fuckin snap?! Noo you shut yur puss aboot it and git the fuckin beers in!!"

Craig, no wantin tae further feel the wrath ae Aldo, makes a hurried trip tae the bar.

"Aldo, take it easy man" ah say. "The fuckin hing is finished noo, anywey."

"Naw, mate. We've been cairyin that cunt since primary. He's alweys been a doughball. Dozy prick nearly drooned dookin fur apples yin year. He's been a fuckin liability fae day yin."

Even ah cannae help but smirk at the thoat ae Craig nearly droonin in two inches ae water.

"Aye" ah says, "ah mind ae that. Halloween 1996 at mine's."

Aroond ten minutes later Craig returns tae the table wae three pints. As he places the tray oan the wonky table he's suddenly buzzin aboot us meetin his new girlfriend. Deep doon ah wis pleased fur him, likes. But ah did still ponder tae masel aboot what a selfish cunt he wis in the timin. Mean, here's me aw weepy eyed aboot losin ma yin true love, eh? And he chooses thenight, ae aw nights, tae show oaff his new burd.

"Aw, Dougie, honestly, mate" he says, "wait till yae meet her, man. Caroline's a ten in anycunts book."

"Sure, she is, Craigie" ah tell him. "When will she be here?"

"She'll be along efter her shift at The Royal. Listen, lads ..." he says. "Ah dinnae want tae tempt fate or anyhing, eh? But ah reckon this lassie could well be the yin. Last Seturday ah even gave her ma last line ae snow."

"True love then?" ah say, tryin ma best no tae puke or tae ram ma gless straight in his puss.

"It might jist be Dougie, it might jist be."

Efter a couple ae hours ae powerin through a gid few jars, it dawned oan me how nae amoont ae drink or laughter could heal the pain ae losin Justine. It wis kind ae sad, likes. That moment when yae realise that you wur in fact deeply in love wae someboady. But it's too late, eh? Fur she is gone in probably will never return.

"Moan tae fuck" says Aldo, suddenly. Inadvertently assistin me in escapin ma daze. "Yur burd's left yae, Dougie. But cheer up, fur fuck sake. C'moan intae the bog wae me and take a line, eh?"

Ah swiftly reject the offer. Explainin tae him how ma heid's awready too fucked up wae everyhing that's happened. Then, ootae naewhere Craig jumps up. As if he wis a bairn at Christmas. Exclaimin: "There she is, boys! That's her there! That's ma burd! Ah telt yae she wis a fuckin stunner!"

Me and Aldo stand up in unision tae try and git a gid look at her. But the only lassie we kin see is this twinty suttin brunette. Who's sportin what kin only be described as a long, equine shaped puss. Resemblin suttin ah hudnae quite seen since ma useless bastard ae a hoarse collapsed gone oor the final fence.

"Where the fuck is she then?" asks Aldo.

"She's right there, mate. She's standin by the entrance" Craig says, still, aw bright eyed.

"Aw" says Aldo. Before he shouts acroass the room tae the lassie: "Excuse me love?! Kin yae move oot ae the wey, eh? Ah'm tryin tae cloack a tidy burd and yur blockin the view!"

Craig seems tae be in a state ae utter disbelief.

"That is her ya prick. Caroline?! Wur oor here, hen!"

Aldo bursts intae a fit ae laughter.

"That's her? Fuck me, Craigy son" he scoffs. "Aw that snow really hus fucked up yur eyesight, pal."

Ah've goat tae admit it, likes. Ah soartae felt bad fur Craig and his missus. His puss hud turned as rid as a ripe tomatae and she wis nae doot even maire mortified and hurt than him. Ah tried ma best though tae pit her at ease. By littin her ken whit everycunt else kent: this wis jist Aldo fur yae.

"Dinnae mind him, hen. The doacturs are still tryin tae figure oot what's wrong wae the cunt."

These words seem tae bring ae wee bit ae comfort tae Cinderella's ugly sister. As she suddenly appears tae ooze confidence and she marches oor tae gee Craig a big kiss oan the lips.

"That's okay" she says. "Craig hus telt me aw aboot him. But ah suppose it's a bit like seein a UFO. You're no gonnae believe it until yuv actually seen it fur yursel."

Then, in the blink ae an eye, Aldo went fae smilin and laughin tae producin yin ae his famous Charles Manson death stares. That wis the hing wae ae him. He wis too unpredictable. Fur her, fur me, fur anyboady. And yae wur never quite shaire whether tae laugh or start diallin 999. Though this time, and tae mine's and Craig's relief. He jist gees a faint chuckle and seems tae appreciate and respect her attitude ae no takin any ae his pish.

"Ken, she's awrite, Craigy son. Ah like her."

This seems tae ensure that the mood ae the night remains fairly positive. And it's no long before Caroline reveals that her mate, a lassie cawed Alana, will soon be joinin us.

"At least we heard it straight fae the hoarses mooth" whispers Aldo, intae ma reluctant ear.

Ah start chokin oan ma pint. Whilst at the same time tryin ma best no tae laugh.

"Are yae awrite?" asks Craig and Caroline

"Aye" ah assure thum. "Jist went doon the wrong hole."

As the night goes oan it becomes maire and maire apparent tae me that nae amoont ae drink or laughter is gonnae dull the pain ah am feelin at the loass ae ma Justine. The maire ah drink, the harder it aw seems tae git. And the empty bed ah ken is awaitin me starts tae fuck wae ma mind.

"That bitch hus abbliterated ma perr fuckin hert" ah declare tae the three ae thum.

However, neither Aldo nor Craig seem tae pey ma sorrow much attention. And so, it's no ma two best pals who offer me a shoulder tae bubble oan. It is insteed Caroline. This lovely, unattractive lassie ah've only jist met.

"She'll come back tae yae, dinnae worry" she says, aw consolin.

But Aldo hus decided he's hayin none ae it. He's clearly grown tired ae ma depressed mood. And every five or ten minutes he's offerin me an E. He takes a small yelly tablet fae his jean poacket. Huddin it up intae the light. As if he wur apprasin a diamond.

"See this wee hing, eh? It'll take awey aw yur problems, Dougie."

It wis a professional sales pitch, likes. Only problem wis, ah wisnae buyin it.

"No thanks, mate" ah tell him. "Ah gave aw that up years ago. No gone back tae it noo."

Before ah ken it, its awready half ten. And suddenly in walks this lassie. She's aw dolled up and is well lookin the part. And unlike Craig's missus she doensae look as if she's jist wandered oot fae a Crufts competition. Everyboady in the boozer stoaps what their dain tae admire her beauty. Her long legs alain seem as if they could easily broker peace between Israel and Palestine. Me and Aldo jist stare at yin another, likes. Wur each in the midst ae an overdose ae disbelief. Surely suttin sae beautiful cannae be foond in a shite hole like this? Then, tae oor amazement, Caroline caws the lassie oor.

"Alana! Oor here!"

She struts oor tae oor table and Caroline introduces her. And before she could even sit doon Aldo makes his move oan her.

"Same again?" he asks, and the three ae us

concur. "And how aboot you, darlin?" he asks her. "Fancy a cocktail withoot the tail?"

The look ae disgust plastered acroass Alana's puss at the mere thoat ae his question wis a picture. And she soon follaes in the fitsteps ae her mate Caroline by pissin oan Aldo.

"Jesus, yae wurnae kiddin aboot him, Caroline. What a fuckin wanker."

Aldo then speedily returns wae the drinks and carries oan where he hud left. Sleasin oor this perr lassie. Everyboady seems tae in gid spirits as the night progresses. Everboady, of course, except me. As wae every passin minute ah find ma thoats driftin oaff intae the realms ae what Justine might be up tae. A thoat process which Aldo seems tae huv picked up oan. As yit again he tries tae persuade me tae droap an E. Another prompt rebuff though and his sales pitch hus ended. And ah'm insteed talkin tae the lassies aboot ma unconditional love fur Justine.

This comfortin conversation is abruptly interrupted, however. As Aldo surprises me wae a Jack Daniels and Coke. In the back ae ma mind ah'm hinkin this is fuckin odd. Considerin he's an absolute tight erse. Still, ah decide tae ignore ma doots and proceed tae lovingly guzzle doon ma free nip ae whisky.

Five minutes later, efter drinkin the hing, ah'm startin tae feel as if everyhing in the room is slowin doon and ma speech is rapidly descendin intae a garbled slur.

"Ah dinnae feel sae gid" ah tell thum.

"Are yae awrite?" squeals Caroline and Alana thegither.

Fae the corner ae ma eye ah kin see Aldo grinnin fae ear tae ear.

"Ken suttin, Dougie. Yae pit up such a gid fight, mate. Ah almost feel bad aboot winnin."

"What?"

"Well" he says. "That whisky yae wur sae keen tae doon? Ah droapped an E in it."

Craig's voice kin jist aboot be heard sayin: "Yae didnae, did yae, Aldo? Fuck sake. That's ootae fuckin order, man."

As ah clumsily rise fae ma seat. But the groond is unsteady beneath me. Ah fear ah'm jist aboot tae collapse oor the table but revenge is oan ma mind. So, ah goes tae lunge in the hope ae rappin ma hands roond Aldo's oversized neck. Before ah kin make it oor tae him though ah kin feel ma legs bucklin and the last hing ah hear as a collapse oan toap ae the table is the smashin ae gless oan the manky lookin flair at ma feet.

Ma alarm goes oaff at half eight in the nixt mornin. Justine alweys insisted we made an early start tae the weekend and ah couldnae help but no keep up wae the tradition. She wis furever draggin me tae some ponsy ert gallery up toon. Or tae hear some dafty read a poem written aboot how his cunt ae a landlord hud turned oaff his heatin. And ah wis expected tae sit there enjoyin masel. The pair ae us aw teary eyed and moved. Well, try and live through ten year ae the Tories ya middle class ersehole. That'll gee yae suttin tae really greet aboot.

These workin-class hero thoats disappear when the voice comes in though. A female, familiar voice, which isnae Justine.

"Hello, you" it says. "Good morning."

It immediately sends me hurdlin oot the bed. And as ah look back, there she is. The stunner fae last night, Alana.

"What the fuck are yur dain here?!" ah ask her, in a terrified, panicked state.

"Charmin" she says

"But ..." ah say "mean, we didnae dae anyhing last night, did we?"

"Nah" she tells me "yae passed oot before we could. Yae wur that oot ae it last night ah goat yae haime tae make sure you wur awrite. But yae insisted ah spend the night."

"Honest, like, seriously, eh? Nuttin happened?"

"Aye, nuttin at aw. You wur a sleepin gent."

Ah cannae hide ma relief at hearin this.

"Yur no jist fuckin sayin that tae cheer me up, are yae?"

"No ah'm no. But ah'm tellin yae, Dougie. Yae really ken how tae make a girl feel special."

"It's no that, hen. Ah need tae win ma missus back. Trust me, if ah wisnae in love ah widnae huv hinked twice aboot pullin the trigger."

She jist smiles at me as she finally stands up and begins tae git dressed. Then she tells me that ma phone hud been ringin earlier but that ah wis lookin too peaceful snorin. That she didnae want tae wake me up. Ah rush tae find ma phone, which, as it turns oot. Wis still in ma jean poaket. It tells me ah've goat a new voicemail. And when ah call it back it's fae Justine. She's comin oor tae talk hings oot at half nine and ah kin hear in her voice that she's hurtin jist as much as me. Wait, it's the back ae nine noo though. And this fuckin hoose is a dump.

And aw, ma god, someboady is at the door. And ah ken wae the gentle tappin ae the letterboax, it's goate be her.

"C'moan, you" ah tell Alana "git movin. Ma burd is at the door."

"Ah'm nearly dressed" says Alana. "Hud oan."

"Wait, if she sees you, she's gonnae lose her shit. Ah'll tell her ah've hired yae tae clean the hoose. Please play along, eh? And ah'll make it worth yur while."

"How much? And do yae no hink she'll ken ah'm a bit underdressed tae be a cleaner?"

In ma haist ah make a hurried rush tae find some cash. Tae ma surprise ah find roughly three hunner quid in ma wallet. That cannae be right, ah hink tae masel. Aw, wait! Ma luck must be is changin, right enough. Ah've goat Aldo's wallet fur some reason.

"Ah'll handle Justine. Jist go along wae what ah say. And there'll be three hunner quid in it fur yae."

Ah soon make a dash tae git dressed and go tae answer the door. Fae the first moment she sees me she gees ma yin ae her cute smiles.

"I lost my key. What took you so long to answer the door?"

Before ah kin respond she cloacks Alana standin in the hallwey.

"What's going on here, Douglas?" Justine asks. And she seems ready tae fuckin explode.

"Eh, this is Alana. She's Craig's new girlfriend's best pal. She's a cleaner and ah hired her tae clean the hoose fur yae."

"Hiya" says a beamin Alana.

"Yeah, hello" Justine tells her, dismissively.

Thinkin oan ma feet ah tell Alana: "You'll find cleanin stuff in the kitchen cupboard."

She goes through tae start cleanin. And now ah'm finally oan ma ain wae Justine. Ah decide tae throw masel at her mercy.

"Justine, ah need yae maire than ah've ever needed anyboady. Ma hert is brekin here."

Her response is music tae ma ears

"I have given this a lot of thought. And, well, I love you too. I want to give us a second chance."

But as ah go tae gee her a kiss she stoaps me in ma tracks. "Before I come back. You have to promise me. You'll stop gambling and spending too much time with Aldo."

"Done, it's done" ah reassure her.

We share a tender kiss and a hug. Then she addresses suttin that clearly been playin oan her mind

"That Alana seems as if she's dressed for a night out. And not for cleaning houses."

"Ah'll be huvin words wae her employer, dinnae you worry aboot that."

Aboot an hour later Alana comes and tells us she's finished cleanin. Ah walk her tae the front door and sneak her the three hunner quid courtesy ae, Aldo. As ah'm stood in the hallwey watchin her walk along the pathwey ah become transfixed. Utterly mesmerised by her curvy erse and perfect boady. A sight that reaffirms tae me the now blatantly obvious. That if ah'm turnin doon suttin as beautiful as that, then it must be true love ah feel fur, Justine, efteraw.

SHEEP WITHOUT A SHEPHERD

Truth is, ah wis born tae be nuttin maire than a footnote in someboady else's memoir.

Aw ma life, likes. Ah wis furever bein telt what tae hink, how tae feel. Persuaded tae be suttin ah wis never meant tae be. Yae see ah come fae a corner ae Edinburgh cawed Leith. A place that wisnae known fur it's vibrant art scene or welcomin personality. Insteed, it's moment in the spotlight came fae the exploits ae it's skagboays and high levels ae social deprivation. Ma name's Steven Scott, by the wey. Ah'm thirty year auld and ah've hud maire dreams than opportunities. Maire kicks in the baws fae life than ah care tae remember, tae.

Ma minutes and hours oan this planet wur programmed tae be spent in some soul destroyin callcentre fur a pittance oor minimum wage. Or brek ma back oan some miserable buildin site. Hopeless endeavours tae ensure that folk like me never git too far above oor station. Ma dad wisnae much ae a reader, eh? No unless yae coont the hoarse racin section in the daily record, that is. Although neither wis he a dafty. He could reel oaff the Hibs title winnin team fae '52' withoot pausin fur breath. And he also hud a detailed knowledge ae the gid auld days here in Leith. He wid often tell me stories aboot sailors descendin oan the port fae the four corners ae the planet. Bringin wae thum apples fae New Zealand or timber fae auld uncle Sam. Ma mum wid jist brush oaff his tales and no pey thum much attention. But the yin hing aboot ma faither wis. He wis a right gid storyteller. And unlike ma mum ah foond massel itchin tae hear maire ae thum. Probably due tae the fact that the Leith he wis talkin aboot wis a far cry fae the hookers and druggies ah kent it fur.

When ma faither wis a young man. Back when he wis aboot ages wae me now. He worked doon at the world famous Henry Robb shipyaird. Suttin ah could tell he looked back oan wae fondness. By the wey his puss wid beam as he shared stories aboot the place. This wis a Leith institution back in the day, eh? And it gave folk fae here suttin ma generation never hud or wid even recognise within thumselves. An identity. But then that hard nosed bitch Thatcher came along wae her crusade against the workin classes. And aw ae a sudden boays like ma faither. Who hud grafted aw ae their days withoot complaint. And who hud never taken a handoot fae the government in their puffs. Wur shamefully directed straight tae the back ae the dole queue. The shipyaird closed in '84, likes. Efter ma dad and his mates marched fae the gates. Aw the wey acroass tae the auld state cinema in Great Junction Street. A revolt which ultimately failed as a final stand against the establishment. Ah kin remember vividly, eh? As he showed me pictures ae his youngerself huddin up a sign which read "Dinnae bring back the thirties."

The painful truth wis, the thirties hud awready arrived in the form ae Thatcher and her annoyin, smug puss. She wis yin ae the few people tae ever walk this earth, who, wae jist the mere mention ae her name. Wid transform ma mild mannered faither intae resemblin some blood thirsty fitbaw casual come derby day at Easter Road. Him and aw his work mates he worked alongside at the shipyaird were proper men. Men who demanded respect. And by that ah'm no meanin they aw hud some natural ability tae throw fists, or that. But they encapsulated honest hard graft. And maire importantly, they goat pleasure fae takin great pride in the joab they did. A feelin that wis alien tae maist ae the boays and lassies that ah hud grew up wae. The bond that ma dad and his mates shared even efter the Henry Robb hud become a distant memory. Almost made it feel as if they were part ae brotherhood. Where as the closest ah goat tae experiencin anything like that wis when ah goat inducted intae the Leith young team. There's only so many tins ae Heinz baked beans yae kin scan at a busy checkoot at Asda before yae start askin the forbidden question, "What's it aw aboot? What's life aboot?" Ma dad wis a wiseman and he alweys hammered haime tae me fae a young age that the true measure ae a boay's toughness is what he's willin tae dae tae provide fur his family. Lookin back ah hink this wis his wey ae preparin me fur what life might have in store fur me later doon the road.

He kent fae personal experience that life itsel is the biggest challenge yul face. And yae huvtae be willin tae make sacrifices if yur gonnae go the distance. He wis in the vanguard when Thatcher decided tae cut oaff the baws ae this area. Her name voiced in the presence ae ma dad wid send him intae a sudden uncontrollable burst ae Tourette's. And the soartae language tae spill fae his mooth wid make even a green beret blush. A sour taste ae hatred wid fill the air when he spoke aboot her and how the marks she left oan folk are still felt tae this day. Suttin ah never gave much thoat tae at the time cos ah wis jist a bairn masel. Yin hing that did leave me a bit awe struck at the time wis the fact Thatcher managed tae bridge the divide between Leith and Gorgie. It didnae seem tae matter whether yae represented the green or maroon side ae the capital. She wis universally detested by everyboady and these people became as yin through their shared hatred ae her. Ah grew up despisin her tae cos it seemed like the right hing tae dae at the time. Even though ah never fully appreciated why cos ah wis still a young blood masel. All that mattered tae me wis her name turned ma peace lovin faither intae a merciless vigilante. In the back ae ma mind ah thaot she must be the anti-christ reincarnated or summit. At school ah remember seein a picture ae her fur the first time. There wis ah, eh? Expectin tae be presented wae some three heided fire breathin demon. Insteed, ah wis faced wae a dour faced auld hag who looked as if she belonged oan a broomstick insteed ae a podium.

In a strange soart ae wey ah did envy that aulder generation. It wisnae that they ever hud much, likes. But at least they were in it taegither. They goat tae experience suttin that in some small wey resembled an identity. They hud a ready made career waitin fur thum in the form ae the industries that used tae serve as the hertbeat ae this city. It wis theirs and at least it wis theirs tae lose in the first place. Whether yae went tae graft oan the shipyairds or doon the pits it gave yae a life long sense ae camaraderie. Thatcher took that birth right awey fae future generations. And she chose tae offer us the mind fuck ae aw mind fucks when she left us tae figure oot oor purpose oan this earth. Try and answer that question in a fithteen minute interview at the careers office. And by the time you do finally wrack your brains and come up wae an answer. You're sixty five and yur best years are well behind yae.

Suttin Thatcher did dae fur the better, even if it wis unintentional. Wis that she set future workin class Scots free fae the oot dated brain washed metaility that somehow bein British actually meant suttin. Fur aw ma faither's generation's rage against the machine, eh? Maist ae thum seemed proud tae be British. But the moment she started shuttin doon the British industries wis the day bein Scottish started tae mean suttin again.

Though there's nae doubt Thatcher did cast a dark shadow acroass the workin class landscape. Along wae the explosion ae cheap smack fae Pakistan which gave birth tae the Trainspottin generation. A bunch ae loast sheep waitin fur oor shepherd tae guide us fae the light and intae the darkness. As the drugs started tae set intae the communities. And began tae pollute the minds ae the youth ae the abandoned workin classes. Some ae ma mates chose a life ae furever chasin that first high. Becomin blinded by a world ae petty crime. Masit ae thum wur too busy chasin the dragon, eh? Insteed ae a brighter tomorrow. And who could blame thum, likes. Efteraw bein high wis the only wey tae numb the bitter pain ae reality. Kennin that wur nuttin maire than an efterthoat ae a bygone era. Wae aw the wonders oan this planet. Fae the Great Pyramids ae Giza tae the Colosseum in Rome. Aw we git tae admire is the dreary lookin violated Lego sets the government pit up tae keep us contained in. So, when they spik up, ken? They do so wae the purpose ae furgettin that the system wants tae keep us humble.

Sure, the lads and lassies fae ma wey could see places further than the number thirty yin bus could take us tae. But only if yae wur willin tae die fur Queen and capitalism." Here's a rifle, son. Go oot and shoot cunts." Some ae us wants maire than tae be a soldier ae fortune in someboady else's war. Or, tae spend oor miserable existence sittin behind a desk punchin in someboady else's cloack. Aw until oor time comes tae an end and wur left wonderin how it aw went sae wrong. Ma parents though? Well, they kept faith in the system, likes. They did exactly as they wur telt. Peyed their taxes and obeyed the laws. Rules which wur designed tae keep thum doon. And at the end ae it aw ah hud tae watch ma dad slip awey wae lung cancer. And then ah hud tae sit and watch ma mum go cap in hand tae the social. Only tae be presented wae twinty quid as if it wis the golden ticket fae Wily Wonka himself. And it wisnae long efter that ah hud ma hert broken again. When ma mum passed awey wae cardiac arrest. Least, that's what the doactur telt us. But ah knew the real diagnosis wis that it she died ae a broken hert.

There wis nae grand monuments wae there names oan it. Or even a park bench tae remember thum by, there wis only me. In the end though, what defined their years oan this planet wis a piece ae paper tae say when they arrived and when they departed. That's the workin class autobiography. Realisin this changed ma outlook oan life. And now that the blinkers wur removed ah could finally see the hazy road aheid clearly, fur the first time. And ah wis now ready tae become a someboady. See, ah figured oot what gave the elite their power, eh? It wisnae their lands or titles. It wis their education. Ma weapon ae choice wisnae a rifle or a chisel, it wis a library caird. It suddenly dawned oan me that education is indeed power. And there's nuttin maire dangerous in this country than a workin man wae a library caird who isnae afraid tae use it. So, that's the adventure ah embraked oan. Ah began spendin maire and maire time in the library wae ma heid sutck inside books. And the maire ah wid read, the maire ah started tae become a reflection ae ma oppressor. An imitator, if yae will. And aw the new words ah learnt wur fast becomin a foreign language tae ma mates. Goat tae the point where ma ambitons started tae be recognised as an act ae class treason.

Those who sit oan the throne ae power dinnae want the likes ae us hinkin aboot or questionin the world aroond us. Insteed, they want mindless drones sittin aboot scratchin their baws in the hope the lotto will gee us a wey oot ae poverty. The last hing they want is us creatin oor ain pathwey acroass the minefields ae life. But that's exactly what ah planned tae dae. Through the rather contagious power which is education. Cos simply sittin back and idling oor breaths awey in the hope hings might git better merely confirms the establishments perception ae us.

Yae jist need tae look at the land ah come fae tae tell yae there's nae future withoot action. A land so beautiful that it looks as if it's been conceived by the mind ae Michaelangelo. Yit there's five million voices and naecunt kin hear us. Someboady yince said it's shite bein Scottish but ah honestly dinnae hink that. It's no shite, it's jist oaffy fuckin depressin.

But the gid news is that here ah um wae ma very ain piece ae paper. But it's no jist yin that states ma time oan this planet. Or that ah died an honourable death fighting fur a square foot ae sand in name of Queen or country. Insteed, it's yin that announces ah'm oan ma wey tae finally becomin a somebaody.

"Mr Scott" it says. "We are delighted to inform you, that you have an unconditional offer to study BSc (Hons) Public Sociology at Queen Margaret University in Musselburgh."

Jist imagine some dafty cawed Charles wae aw his private education and personal tutors hinkin he's the smartest cunt in the room. Only tae find a humble boay fae Leith waitin tae show him the truth. That yae dinnae need tae descend fae the spunk ae some lord in order tae possess an intellect. And that aw yae need is a library caird and a relentless thirst fur knowledge. But, listen, who the fuck kens, eh? Ah might end bein an advisor tae Nicola Sturgeon. Come tae hink ae it ah might even yin day run the hale show masel. What ah do ken fur sure though, eh? The world really is ma oyster.

GLORY HUNTER

Aldo wis never a supporter ae Leith Star and he wis never yin fur keepin his thoats oan the matter tae himsel. Then there wis me and Craig who huv follaed thum religiously since we wur auld enough tae wipe oor ain erses. It didnae matter whether it wis pishin doon wae rain and no even the sight ae the four horsemen oan the horizon wid deter oor support fur the team. Nae doot we wid still be there freezin oor baws oaff in the famous rid and white hoops ae the mighty Leith Star. Though that didnae stoap Aldo furever takin any opportunity he goat tae shite aw oor the team's chances ae tastin victory.

"That shower ae useless shite" he wid often say. "Ah'm fuckin tellin yae no yin ae they eleven fannies wid even make the bench fur The Edinburgh Athletic Wheelchair Team."

You've goat tae remember, likes. His open contempt fur the club and its players wis alweys said within earshot ae the boays oan the team. Especially, since the majority ae thum are local lads and they wid spend their weekends boozin doon at The Carousel, jist like everyboady else. But when yur talent's bein cawed intae question by a six-fit two, coked up, steroid induced mountain, then under-standably, eh? That initial urge tae react becomes somewhat diluted. Jist oan Wednesday passed, eh? ah wis roond at Craig's flat tae sort oot numbers fur the supporter's buses. Fur oor big trip oor tae face the dangerous Bonnyrigg Rose in the Scottish Cup. This game is huge fur us, likes. As the winner gits Clyde at haime in the nixt roond. And no only that, but the match will be televised live oan BBC Alba.

Soon as we ironed oot the details fur the buses, that's when Aldo's new foond love fur the team came up. Ah thoat this wid be a gid time tae git his thoats oan suttin that hus been nigglin awey at me lately. Everyboady kent this wisnae a love that wis gonnae stand the test ae time. But still, ah wise curious as tae what somepoady else thoat.

"Craig" ah said. "Kin ah ask yae suttin?"

"Sure man, shoot?"

"It's jist, see how Aldo usually hates the Star sae much? Dae yae hink it's just he lacks a bit ae community spirit? Or is he just a cunt?"

Craig paused fur a bit before answerin and ah could tell he wis geein the question some serious consideration.

"Ah dunno, Dougie, man. Mean he did kick the shite oot ae Santa last year, eh?"

Fur some unknown reason ah hud completely furgoat aboot this. It wis probably due tae the fact there's been a thoosand incidents involvin Aldo since then.

"Aw, aye" ah telt him. "Refresh ma memory again? What wis that aw aboot?"

"Suttin tae dae wae his HO,HO,HO bein too festive, mate."

Ah jist stood there in the kitchen as ah tried tae process and understand why Aldo hud done what he did tae Santa. But nah, ah drew a blank. And ah couldnae quite git ma heid roond what hud happened.

"Too fuckin festive" ah said. "But it wis Christmas."

"Aye, ah ken, ma" Craig says, sympathetically. "But then again, Dougie. Aldo is a Muslim."

"Aye" ah said. "Ah huv fuckin noticed. But yae say that as if it should aw make fuckin sense noo. What the fuck hus bein Muslim goat tae day wae anyhing though?"

"Well" Craig explains . "Tae Aldo, Santa's jist some fat fuck in a rid suit, eh? And it didnae help that yin ae his runner's hud been pinched wae two oonce ae Ching."

That wis aw the info ah needed. Suddenly it aw made fuckin sense tae me. Aldo didnae spread Santa acroass the street cos he wis actin too festive, at aw. It coulda been anyboady, eh? He wis simply littin oaff a wee bit ae steam.

Ah mind the very moment Aldo went fae

wishin a terminal diagnosis oan each ae The Star's players, tae embracin thum as a bunch ae long loast brothers. Although he wid oaften deny it. Aw ae his initial negatively taewards they'm stemmed face the failed trial he hud when he wis a bairn. But it took the win against BSc Glasgow fur aw they year's ae ill will tae supposedly disappear.

Whether it's a glorious victory or another hert breakin loass, me and the rest ae the boays end up back at The Carousel. It's a sortae tradition, ken? And oan that particular day, aw the wey back fae Glasgow. Ah found masel dreamin ae the moment when ah'd set eyes oan Aldo. And the satisfaction and relish ah'd git in rubbin his puss in it. Ah made a conscious point ae gittin tae the boozer before everyboady else. Darted oaff the bus, so ah did, it wis practically a sprint. Ah wanted tae be the first cunt tae tell him aw aboot oor great triumph. Ah hud it aw planned oot in ma heid. Pure premeditated mind fuck. Make him hink the team hud went doon in calamity. Before ah revealed that we'd actually only gone and fuckin won. As soon as ah walked in a caught sight ae a familiar picture. Aldo proppes up against the bar. Whilst Auld Maggie wis stood behind it, busy pullin pints. The baith ae thum wur chattin awey tae each other and as soon as Aldo cloacked ma presence ah could tell ma depressed puss hud done jist the trick. Cos ah could see in his eyes and the wey he wis tryin no tae smirk that he wis jist readyin himsel tae start dishin oot his usual pish aboot how shite the team wur.

He wis stood there aw self-congratulatory and proud ae himsel. And ah kent right there and then that ah hud him oan a string. He wis basically foamin at the mooth, eh? Salivatin at the mere prospect ae wipin his erse wae oor dreams and aspirations ae liftin the Scottish Cup.

"Loast did they?" he asked. Aw gloatin and confident that this wis jist another glorious failure fur the club. "Useless motherfuckers."

"Naw" ah telt him. "We fuckin won!!" ah roared sae hard ma lungs felt as if they wur ready tae jist explode, there and then. Although this cunt still seemed unable tae accept ma gid news and didnae hink twice aboot expressin his doots.

"Pish!" he scoffed. "Fuck knows what yur smokin the day, Dougie. But be a pal and send some ma wey, eh?"

"Ah'm tellin yae, we won" ah telt him. "And if we beat Bonnyrigg Rose then the next yin will be televised here, live oan the BBC. They're gonnae be at the game, n aw. Tae talk tae some ae the supporters if we win."

It wisnae until maire and maire boady's started tae pile in the boozer and the choruses ae "Wur gonnae win the Cup!" rang oot. That the cunt looked as if he believed ah wis tellin the truth. He did seem startled wae aw the noise and a bit overwhelmed wae the sea ae rid and white he wis noo faced wae. As he turned and faced firmly in ma direction it wis clear tae me his mind wis gone intae overdrive. Processin the possibilities ae the nixt roond.

"The BBC yae say?" he asked. As his eyes began widenin at the thoat ae gittin his five minutes ae fame oan the telly.

"Aye Aldo, its fuckin quality."

"Sure is, Dougie son, sure is. Listen, ah've jist remembered ah've goat tae be somewhere" he shouted back at me as he made a hasty exit oot ae the pub withoot mutterin even as much as a 'gidbye'.

A gid oor passed by and there wis still nae sign ae him. Then, jist as everycunt hud seemed tae huv settled doon, in he comes, chairgin through the doors. As if he's John Wayne in yin ae those auld westerns who's come tae save the toon fae destruction. It wisnae even his dramatic entrance that caught ma attention, either. It wis maire tae dae wae what he wis wearin. The cheeky bastard wis stood there, in centre ae the pub, dressed heid tae tae in the rid and white ae the yin and only Star. Fuck knows where the cunt goat it fae, likes. But he even hud yin ae they big rid and white foam finger hings. Ken, like the yins yae see at American fitbaw games. Yae could huv heard a pin droap, ah'm tellin yae. Everyboady there seemed tae be frozen in a state ae shock. And the sense ae disbelief which cont-aminated the atmosphere grew stronger yince he began beltin oot the fans chant ae:

"There's only yin Leith Star!!"

He went roond the hale room embracin anyboady he could find who wis also wearin a Leith Star strip. And he kept mutterin the same words, oor, and oor again "Wur in this taegether, lads." Honestly, it wis fuckin ootrageous. And ah doot ah wisnae the only boay who wis observin him wae clenched fists. Fur we aw kent fine well what he wis up tae. Glory hunters are, efteraw, aw the same. Aldo wid only be aroond fur the gid times. He hud nae intention, whatsoever, in stickin aroond fur the bad.

The big match wae Bonnyrigg Rose hus seemed tae arrive in nae time. Three supporters' buses left fae The Carousel at aroond quarter tae two. Bonnyrigg is a wee workin class toon oan the ootskirts ae Edinburgh. Ah've heard a lot ae stories aboot these Bonnyrigg cunts but ah try no tae listen tae that sortae hing. Better jist judge fur masel when we git there. The bus hus been rockin fae the moment we departed and it's only comin up fur the back ae two and everycunt is either half cut or coked up. Or, in Aldo's case, a deadly combination ae baith. Efter he seeminly tires himsel oot wae aw his signin and questionable chants. He decides tae join me and Craig at the back ae the bus.

"Yae seen that film Groundhog Day?" he asks us. Aw ootae breath and pishin wae sweat.

"Aye" Craig says. "Bill Murray's in it?"

"Aye, that's right" says Aldo, who seems tae appreciate Craig's knowledge ae the film.

"Murray's awrite" says Craig.

"Aye he is, but ah'm tryin tae make a point here. No discuss his fuckin actin credentials."

"Aldo, calm doon man. Wur here tae enjoy oorsels" ah quickly remind him.

"Well" he says. "Ah wis watchin the hing oan the telly last night. And it goat me hinkin, eh? that boays like us are jist like him in the film. We wake up repeatin the same day. Oor and oor again. Wae the purpose ae makin some posh cunt rich."

"That's an interestin wey ae lookin at it, man" ah tell him.

"It's the only wey tae fuckin look at it. Listen, the opium ae these posh cunts is the blood, sweat and tears ae the workin class. And the opium ae the workin class is anyhin that blanks oot the realisation ae kennin wur a mere slave tae the capitalist machine."

Ah never hud Aldo doon as nae Karl Marx. But ah've goat tae admit it. Fur yince he seems tae be talkin sense. And that's jist what's scarin the fuckin life ootae me. As he appears tae make himsel cushy oan the seat he gestures fur us baith tae come closer. Before uncharacteristically whisperin: "Lads, ah've goat gid news. Ah've takin care ae it."

"Takin care ae what?" ah ask him

"The fuckin match."

Me and Craig gee each other a worried look. Efteraw this is Aldo we're dealin wae, and absolutely anyhing is possible.

Craig tries tae make a joke aboot the situation by indirectly askin him a serious question.

"Yae didnae kidnap Bonnyrigg's manager's wife or suttin, did yae?"

"Tell me yae never, Aldo" ah plead wae him. Cos ah wisnae sure whether tae laugh or phone Justine fur an alibi.

"Of course, ah didnae kidnap the boays wife. Fur fuck sake, lads. What dae you pair ae miserable bastards take me fur?"

"Okay" ah tell him "so, what huv yae done then, exactly?"

"You'll see fur yursels durin the match" he tells us "but trust me, you'll no want tae miss this." As he hus a little sinister laugh tae himsel.

Wae the colour fae Craig's puss quickly drainin awey and ma hert beginnin tae beat at an alarmin rate. It wis clear suttin wis tellin us baith that this is gontae be a long day. Regardless ae the actual result ae the match. We arrived at Bonnyrigg's groond New Dundas Park fur aroond quarter past two. The place wis situated behind some shitty lookin boozer cawed The Calderwood. Jist as everyboady else oaff the bus makes their wey inside the groond, Aldo drags me and Craig inside the pub fur a pre-match pint. Fae how busy this shitehole is ah kin tell Bonnyrigg is oot in force tae cheer oan their team. Ah wis a bit hesitant aboot comin in here due tae the real possibility we might jist end up gittin oor heids tae play wae. Especially if Aldo decides tae cause yin ae his infamous scenes again. Fae the moment we walk in everyboady jist seems tae stoap what they're dain tae hae a gid look at us. Aldo scans the room and the first words oot ae his mooth dinnae endear us tae the natives.

"Fuck me" he says. "The only hing worth pullin in here is a pint. Grab a seat lads, ah'll git the beers in."

He goes and makes his wey through the crowded pub and doesnae seem tae gee a fuck that he's left us starin back at a room fullae pusses who look as if their ready tae reach fur the nearest pitchfork. Wuv only been in here fur nae maire than twinty seconds and Aldo's awready pissed oaff maist the folk in the room. Even as me and Craig hastily try and find an empty table ah kin feel aw they glarin eyes bearin doon oan us. Thankfully though, it's no too long before ah cloack a few spare seats located near the karaoke machine. Me and Craig dart taewards they'm and wait fur Aldo tae return. The pair ae us hoapin tae fuck that nuttin kicks oaff. Cos ah widnae miss this match fur the birth ae ma firstborn. Five or so minutes later and he comes swagerrin along wae a welcomin sight ae three cauld beers in tow. No that either ae they two clowns are too bothered aboot a pint. The bastards dash tae the bog wae their big bag ae snow, leavin me oan ma lonesome. By the time they come the cloack doesnae seemed tae huv moved. And hings are aboot tae drag oan even maire. Ah notice a lassie standin at the Karaoke machine. She looks aboot oor age and even though she's aw dolled up the makeup clearly isnae workin. She soon starts tae belt oot a poor rendition ae Tina Turner's 'Simply The Best' and ah kin tell wae the look oan his puss Aldo is jist waitin tae say suttin cheeky.

"Excuse me, pal?!" he shouts oor tae the barman, who is busy servin customers.

"Aye, what is it?" the boay says, in an impatient sortae wey.

"Please, dinnae start anyhing in here, Aldo" ah whisper tae him.

Fae Craig's nervous demeanour ah kin tell he's as worried as me aboot where this conversation might end up. We're no like Aldo, we're actually proper Leith Star supporters and this game is a big deal fur us.

"Nuttin in particular, mate" Aldo tells the boay. "It's jist nice tae see yae gee yur local comedians a platform tae humiliate thumsels." As he noads in the direction ae the now mortified lassie who'd jist finished her song.

"That's ma wife, yae cheeky cunt!" the boay snaps.

"So, yae love her anywey?" Aldo remarks. "Then that makes you a better man than me."

This boay's ready tae explode. Yae kin jist tell by the wey his puss hus turned pure rid that he's a tickin time bomb. Ah kin sense wae the tension fillin up in the room that wuv clearly oot steyed oor welcome. So, ah signal fur the the lads tae drink up and lits git the fuck ootae there.

It's no long before wuv legged it oor tae the shabby lookin groond behind the boozer and joined up wae the rest ae Leith Star's faithful. Straight awey ah kin see that baith clubs are well supported. Probably aloat tae dae wae the telly cameras but the atmosphere in here is definitely that ae a big cup tie. The three ae us are stood right behind Bonnyrigg's goals and their keeper looks maire like a cannonbaw wae legs than an actual fitbaw player. As we stand there freezin oor baws oaff in anticipation ae the referee blowin his openin whistle. What Aldo hud said earlier aboot fixin the result, suddenly comes floodin back intae ma mind. He did, at that moment, appear tae be in his best behaviour, likes. But, still, ah couldnae help but be fixated oan what the cunt hud meant.

The game started jist like a typical cup tie. Neither team wantin tae gee anyhing awey early oan. It wis a pretty borin affair, ken? Cagey n that. That is until Alan Smith, oor midfield dynamo, ootae naewhere bursts straight through oan goal. But composure somehow evades that useless bastard and his weak effort trickles intae the keepers airms. Me and the rest ae oor support dinnae hud it too much against him though. Or at least, no voicin it openly, but no Aldo, he's hellbent oan geein poor Alan a right piece ae his mind.

"Ma Granny coulda hit that baw harder ya fat usless cunt, git yur erse in gear!!"

Efter that hertless remark, ah kin see that the real Aldo wis startin tae bubble up tae the surface.

"Aldo, it's still early days, man" ah tell him "take it easy, will yae?"

"Fuck that" he barks. "What ah telt you boays earlier, eh? That still stands. Ah'm winnin this match fur us."

"Aye, what the fuck did you mean there, Aldo?" Craig asks, almost pleadin.

"Well, see uncle Fester oor there?" Aldo tells us, noaddin in the direction ae the plump, bald dafty, in the Bonnyrigg goals.

"Aye, what aboot him?" ah ask

"Well" he explains "lit's jist say he's aboot tae hear a few haime truths."

Ah'm intrigued by this comment and bein the nosy bastard that ah um, ah decide tae investigate further.

"What dae yae mean by that, Aldo?"

He glares at us baith. "Ken Three Finger Louie?"

"Aye" ah says. "His sister's a doactur."

"That's right. So yae ken the cunt?"

"Well, it wid be some fuckin coincidence if it wisnae him. Ah mean how many cunts steyin in Leith are cawed Three Finger Louie?"

"Ah alweys wondered why he's cawed three finger Louie?" Craig spurts.

"Well, it's cos he's goat four fuckin fingers, ya thick cunt!!" bawls Aldo in a blind rage.

"So, what aboot Louie then?" ah ask.

"His cousin's a private investigator and ah hired the boay tae dae some diggin intae these Bonnyrigg cunts. And that fanny oor their hus maire secrets than the royal faimily. Anywey, a grand well spent, ah thoat."

"A grand? that's very reasonable fur that sort ae hing. Ah alweys imagined it wid be dearer than that" says Craig, who seemingly fails tae address the bigger question, which is why hus this fuckin lunatic hired a PI in the first place.

"Ah thoatsae tae, a three wey split. It comes tae £349.48, caw it 350 fur cash" Aldo informs us.

"Caw it fuck aw" ah snap at him. "That's against the fuckin law. Yae kin git done fur that sortae hing. Invasion ae privacy or some pish."

"Invasion ae privacy?" Laughs Aldo. "You're precious Dougie yae really are. When that cunt pit oan that jersey he became public property. Dae yae want tae win or no?"

"Well, of course ah want tae fuckin win, Aldo. But this is some shameless pish."

Hinkin Craig will back me up oan this, ah gee him a wee glance. Tae ma surprise though ah cannae see any looks ae disgust but instead he hus this expression that says 'why no?' plastered acroass his puss.

"Dougie, lit's no be too hasty here, eh?" he tells me. "A win's a win, who gees a fuck how we git it. Cannae dae any herm, kin it?"

Ken, suttin? This cunt is actually makin sense fur yince. It's no like playin by the rules hus goat me anywhere before. This win wid set the the club up fur a gid few years tae come. And lit's be honest. Huvin morals isnae what it's aw cracked up tae be. Yae jist end up gittin fucked. This is why ah've decided tae gee Aldo a noad oan the unsuspectin goalkeeper.

Aw Aldo does at the beginnin isnae exactly an act ae brutality. It's aw mind games, eh? As he repeatedly roars in the keeper's direction "Pishwater! Pishwater!"

Before the boay's defences finally relinquishes and he snaps "Ma name's Westwater, ya cheeky cunt!" clearly demonstratin that Aldo's awready in his heid.

"Nae worries, Pishwater, you're the boss, man" Aldo casually tells him.

And it's pretty obvious that by the wey he's twitchin inside the boax. That Aldo's words are gittin maire and maire annoyin.

The game itsel hus started like a typical cup tie. Wae baith teams playin cautious. A quiet start that hus offered Aldo the opportunity tae step up his efforts tae brek this perr bastard.

"Oi, Pishwatrer! Fae what ah wis telt. Accordin tae yur last medical. You're only yin fish supper fae a hert attack, that right, aye?" then he produces a crisp new twinty quid note fae his poacket and begins tae gently wave it in the air. "Ah actually saw a nice wee chippy acroass the road fae the boozer cawed Pias. Take this, eh? and tell Mr Pia he's tae gee yae the greasiest supper he hus. Tell him its oan Aldo."

Still though this cunt seems tae surprisingly

retain his composure. But it's no escaped ma attention the colour ae his skin hus went fae milky white, tae pure beetroot. A fact which does nuttin except gee me hope that Aldo's plan might actually work.

Ah'll be the first tae admit it, likes. This game so far hus been nae 'El Classico' and Aldo will need tae pull suttin definitive oot ae the bag, sooner, rather than later. Especially since the keepers will change sides in the second half. And gone by the time oan ma watch suttin will need tae gee in the nixt twenty-five minutes. Aldo's personal attacks huv been gittin darker wae each passin minute. It's pretty evident he's cautious ae the time, tae. This fuckin lunatic hus went fae questionin the boay's true motives fur volunteerin tae coach bairns fitbaw. Tae implyin that his Victoria Cross winnin grandfaither wis actually a secret Nazi sympathiser. Yit the stubborn bastard still appears no quite ready tae bite back and by the wey Aldo's pacin up and doon oan the side ae the pitch it's clear he's gittin agitated by the boay's lack ae willingness no tae fold.

"Ah'm tired ae walkin oan eggshells wae this fanny" Aldo announces tae me and Craig. "Time tae stoap bein merciful."

"Eggshells?" ah giggle. "Fur fuck sake, Aldo. Yae jist cawed him the Jimmy Saville ae Scottish fitbaw. Yae even tried tae pin an unsolved murder oan him fae five year ago. He's no taken the bait, ah hink its oor noo."

Jist as the Star seem tae be buildin some momentum in the centre ae the park. It's then that Aldo goes tae make yin last attempt tae git inside the keepers heid.

"Pishwater!" he begins yellin again. While the boay tries tae remain focused on Leith's impendin attack.

"Ah wis sorry tae hear aboot yur daughter, Katie, is it? Nae cunt imagines their wee lassie will grow up and sell their erse fur a poond ago tae dirty auld men. Jist fur a taste ae the broon stuff. Yae must be so proud, eh? fuckin Nickeledon's faither ae the year, standin oor there."

Fuckin hell, man. Oor forward, Andy Peters, is straight through oan goal. And the daft cunt hus hit a feeble shot which looks like a waste ae time. But ken what, eh? it's somehow managed tae roll under the goalie's airms, Fuckin Yes! Naeboady kin deny Aldo took hings too far wae the boays daughter but it looks as if it's done the trick cos there's nae wey the boay shouldnae huv saved that yin. Oor supporters have come unglued and everyboady's jumpin up and doon like dafties. The boay is stormin towards us as the referee blows his whistle tae signal the end ae the half and he looks pissed.

"You're fuckin deid, ya cunt!" he's screamin as he points towards Aldo. "Nae cunt talks aboot ma bairn like that!"

Jist as he gits close tae the barrier where wur standin a few ae the stewards stoap him, jist in time. Even wae three ae these cunts huddin the boay back it's obvious they're strugglin tae contain him.

"Me and you" he says, pointin at Aldo "efter the match. Ah'll fuckin end yae!"

In typical Aldo fashion he doesnae gee a fuck

aboot the guy's threats and if anyhing seems tae welcome thum.

"Yae promise, dae yae? sweetheart?" he says sarcastically. A comment that only seems tae enrage the boay further.

Wuv only went and fuckin done it, eh? held oan fur a famous victory. Shite game, dinnae git me wrong, but who gees a fuck aboot the standard ae play. Aldo's masterplan tae fuck wae Bonnyrigg's keeper hus proved tae be nuttin shoart ae a masterstroke. Oor supporters are walkin oan air right noo and every cunt is chantin "Wur gonnae win the cup!" Craig's made a quick run fur the bog and Aldo's standin here amongst the fans, smug as yae like. As if he single handily won us the tie. Which, tae be fair tae him, isnae that far fae the truth. Of course, he's went tae droap an E in celebration ae the win. But wae everyboady jumpin aboot and aw the airms gittin flung, it's been knoacked right oot his hand.

"Fur fuck sake!" he roars. Before he collapses tae the groond tae search fur the hing.

"Jist leave the fuckin hing. The BBC should be here soon tae interview some ae us" ah remind him.

"Bairns train here, yae dafty" he hisses at me. "Did yae no notice that poster at the entrance? You kin be an irresponsible bastard sometimes, Dougie. Yae really kin."

Ah'm left dumbfoonded wae that response. "Ah'm the irresponsible yin? You're the fanny who broat that shite intae the groond."

Maist ae the fans huv begun tae trickle oot ae

the stadium. Aw ma fuckin god, eh? here comes Pishwater bargin his wey through the supporters and he looks as if he's a madman oan a mission, headin straight oor wey.

"Aldo, that boay's comin" ah beg wae him.

"Doesnae matter tae me Dougie, son. Yur still ma mate."

"Eh?" ah says "will yae look up!"

He's closin in oan us at lightnin speed. So, ah try tae bloack his path as Aldo is still oblivious tae oor impendin problem.

"Mate it wis jist banter — " ah lit him ken.

Withoot a moment's hesitation he gees me a swift right hand. Which naturally sends me tumblin tae the concrete.

Aw ma god, ma heid is bangin.

Fuckin hell, how hard did that cunt hit me?

Where the fuck um ah? is this that boozer fae earlier?

It fuckin is, n aw.

There's a wuman gone aboot collectin the empties.

"Excuse me love, where um ah?"

"The Calderwood."

"What? "

"Yur mates dumped yae in here."

That soonds jist like that pair ae miserable bastards, ah hink tae masel. Lookin at the corner ae the room ah notice suttin oan the telly. But it cannae be right. Ah mean, is that Aldo? it fuckin is tae.

"Kin yae turn that up please?" ah ask, which the wuman kindly does.

Jim Spence is standin there wae Aldo. Who's aw but booncin as he awaites tae be interviewed.

"Ah'm standin here wae a supporter who hus follaed his team through the gid times and the bad. What's yur name, sir?"

"Aldo" he answers aw gleefully.

"Well, Aldo. Why don't you tell me how proud you are ae these players? This is a great achievement fur yur club."

"Aye, that's right, Jim" Aldo tells him. "We at The Star are yin big faimily, eh? Mean, ah've been a supporter ae the club since ah wis auld enough tae crawl. There's nuttin like the feelin ae community spirit. And kin ah tell ma missus suttin, who's back at haime watchin?"

"Sure."

"We did it, baby! And you owe me ma hole when ah git back!"

"Apologies there! fur the language, ladies and gentlemen. But furgettin that last remark fur a moment. The pairty currently goin oan behind me does indeed go tae show that community spirit and football do certainly coincide as one. This is Jim Spence, reportin fur BBC Scotland. Back tae the guys in the studio."

Ah'm loast fur words right noo. The absolute audacity. He jist goat interviewed by Jim fuckin spence! This hus goat tae be the maist surreal moment ae ma life.

Aldo, ya dirty glory huntin bastard!

ORDINARY CRIMINALS

Ma postie came boondin along the road theday wae a bounce in his step, and a smile that mighta lit up the Vegas strip. It doesnae matter if it's a hoat summers day, or if the froast bite is aboot tae set intae his baws. This boay alweys hus this annoyin grin splattered aroass his annoyin puss and his annoyin mooth offers an even maire annoyin "Hello." Ah fur yin ken that whenever ah see him wanderin up the pathwey tae ma front door that some cunt, somewhere, is aboot tae make me walk the plank. And theday didnae disappoint. Ah hud jist goat back fae Farmfoods efter ah hud been there in preparation ae another evenin ae fine dining. Fur this evenin ah decided ma taste buds were gonnae be traumatised at the hand's ae a ninety-five pence chicken risotto frozen ready meal. Grub fit enough fur a mass murderer oan death row. Oan a shoppin budget ae thirty quid a week what else kin yae expect, eh? Well, apart fae diabetes that is.

Jist as ah reached ma front door and wis aboot tae turn the key tae go inside ah hear a familiar gravelly voice.

"Tommy, ah've goat suttin fur yae the dae" it says.

Ah thoat tae masel as ah turned roond: "Please, God, dinnae lit it be this cunt" — but sure as shit ah wis faced wae this gleeful Postman Pat. Honestly, this cunt is that nippy he wid pit yae oaff yur mornin cornflakes. Ah've seen folk hittin the lotto wae less grimmer pusses than this boay. He's yin ae they fuckin happy wanderers, ken? the sortae cunt tae gee yae the dry boke at even the mere thoat ae his presence.

"Aw, that's great, Gary" ah sais.

Then, he pits his hand inside the bright rid Royal Mail bag holstered oor his shoulder and he produces a broon envelope fae it. Ma hert sank upon seein this symbolic pile ae shite. Ah jist kent ah wis aboot tae git well and truly shafted. Aloat ae bad news comes in many shapes and colours but the department ae work and pensions ain taste ae misery is alweys delivered in the same depressin broon envelope. Suttin struck me though, as he passed the letter oor. Somehow, he looked smugger than usual. Ah mean, he hud a smile tattooed acroass his puss as big as Liam Neeson if he'd jist been cast in the remake ae Zulu.

Ah could feel a tight knoat startin tae develop in ma stomach. The sortae feeling yae git when yae ken this isnae gonnae end well. And at this point ah jist wanted tae git inside tae pit awey ma messages. He tried tae rope me intae a conversation wae um.

"Ah hope it's gid news, Tommy" he tells me.

Starin right through the cunt ah imagined how gid a 100lb American pitbull dug wid look oan toap ae him. Ah turned awey tae open the front door as wey ae avoidin geein him the satisfaction ae makin ma dae any worse than it needs tae be. Then like a sucker punch tae the gut he hits me wae it: "Ah goat a coupon up last night. Eight hunner quid fur a poond, No bad eh?"

This wis the last hing ah needed tae hear. Especially fae him. But ah chose tae be graceful in defeat.

"Aye, gid oan yae. Ah canne back a winner tae save masel thenoo."

This is the exact same situation yae see at the Oscars. When the camera pans tae the losers and their actin aw humble and they're applaudin like every-boady else there. But deep doon everyboady kens they they're hoapin the winner swallows their tongue durin the acceptance speech.

Upon hearin ae ma recent run ae bad luck he tries tae act sympathetic: "Ah'm sorry to hear it. It's a bit like Tony, eh?"

Ah cannae lie likes, his last comment spiked ma interest.

"Tony, at the end ae ma street, the boay wae the stutter?" ah ask.

"Nah" he tells me. "Tony Soprano. In that episode cawed Chasing It. It's a fuckin classic. Anywey, he's constantly gittin fucked wae the bookie tae."

This jist lit a match under me.

"Tony fuckin Soprano, is that meant tae be a joke or suttin? Ah'm talkin aboot real life here, no fuckin HBO."

Wae the look ae surprise splattered acroass his puss he wis visibly taken aback wae ma reaction.

"The Sopranos is fuckin quality" he says.

Like ah really needed this geriatric paperboay tellin me that, ah mean, give me a fuckin break. That's when ah decided ah hud been polite fur long enough and ah jist stormed inside and ah took great satisfaction in slammin the door oan his bewildered freckled puss.

Ah started tae feel ah bit spoiled wae the wey theday hud started. No only did ah git the pleasure ae answerin a question ah never asked. Ah kin also take great comfort in kennin ah kin blow ma brains oot anytime ah decide tae open this letter. Pittin awey ma shoapin ah notice the freezer stuff hus begun tae defrost a bit. That's jist fuckin great, eh? Aw, and look here, ah've goat a shit loadae cleanin tae dae tae. Will yae, look at this place, ma sinks overloaded wae dishes, bunkers stained wae coffee, and what the fuck is that smell? Ma livin room is the crème de la crème though, that's goat longneck boattles ae Budweiser doatted aroond the room and half empty pizza boaxes and empty crisp wrappers scattered aboot everywhere. Ma mates hud been roond tae watch the game last night and it wis actually oan cooncil telly fur yince. There wis nae rush fur me tae settle doon tae read what sentence these agent's ae misery hud passed doon oan me.

Yin hings fur sure likes. When the dole contact yae it's touch yur taes time. So, ah decided tae take ma time in pittin awey the messages and tae tidy up the place. Ah goat the hoover oot and wae a bit ae hard graft ah actually goat the place lookin half decent. Finally, at aroond half eleven ah sat wae ma hoat cup ae coffee and a bacon roll smothered in broon sauce in front ae the telly. Wumen's darts is oan BBC 2. Gid hing tae because efter the mornnin ah'd hud ah could dae wae cheerin up. Fuck me, this lassie fae the Netherlands hus jist hit a hunner and eighty instead ae the usual female twelve. That's no right, ah cannae stand cheats. Ah jist hoap she's drug tested efter the match. The maire ah've tried tae blank oot ma impendin doom the maire ah've started tae notice subtle changes in ma boady. Ah kin feel ma mooth becomin dryer, ma hands gittin sweaty, and the wey hings are headin if ah dinnae open this letter soon ah'm gonnae become a candidate fur yin ae they hoaspital drips. Fuck this, ah jist need tae bite the bullet and open this hing. Slowly peelin the broon envelope open ah feel as if am defusing a bomb that's jist waitin tae explode in ma puss.

Accordin tae this glorified fish wrapper ma Joabseeker's Allowance hus been stoaped because ah only managed tae apply fur fourteen joabs this week instead ae the thirty these cunts wanted. Thirty joabs a week? dinnae make me fuckin laugh, that's maire the Tories huv created since they miraculously goat intae power. This is nae gid, ah kin feel ma blood pressure reachin new heights efter readin that pish. Mean, ah dinnae see the minister ae employment huvin his wages doacked fur no creatin enough joabs. Kennin the Eton platoon doon Westminster they wid probably send him and his family oan an aw expenses taxpeyer peyed holiday tae the Bahamas. Meanwhile, there's folk like me livin in the real world who git the pleasure ae reapin the consequences ae his actions. Ah mean, the closet ah kin git tae the Bahamas is walkin past the Thomas Cook travel agency oan the high street.

Nah, the cunts that wur dain oor ancentors a hunner year ago are the same yin's dain us the noo. They jist dress a bit better theday. The proof's right in front ae yae, ken? and ah'm bein held accountable fur suttin that doesnae even exist. Kin someboady please explain this tae me, eh? Cos what's nixt? Is ma water supply gontae be turned oaff because it's no rained enough this year? This hing states ah've been 'invited' tae attend an appointment wae ma advisor doon at the Joabcentre oan Friday mornin. The wey these cunts say you're 'invited' like it's an invitation tae the school prom or summit. They might as well say if yae dinnae turn up git ready tae start fasting this month.

Before ah started tae sign oan wae ma cap in hand ah saw this advert fae the DWP. Ah'm tellin ye likes, it wis the number yin hit comedy ae the year. This boay struts in tae the dole tae meet his very ain agent ae misery and it turned oot tae be this tidy wee blonde hing. She chatted awey tae him like Graham Norton oan coke and she even made him a nice cup ae tea. Earl Grey, ken? the proper stuff, no the usual pishwater they inflict oan yae doon there. She jist sat patiently and listened tae aw his concerns and even gave him some gid advice. Anyboady watchin this wid huv thoat he hud jist arrived in the great hall ae Valhalla and that the place wis paved in blow joabs. Tae ma detriment ah soon came tae realise the fannies makin this video wur maire creative than J.K. Rowling. Who did ah end up wae? Some auld bam who made me reconsider ma position oan the use ae euthanasia fur the elderly.

Efter a gid few days ae insomnia and bein sae stressed that ah could barely digest ah bowel ae tomatae soup, the big day finally arrives. Ah goat tae ma appointment at the Joabcentre oan Commercial Street fur half ten in the mornin. Ma advisor wisnae meant tae be seein me til ten tae eleven but ah thoat it wid be better tae git there a bit early in case the cunt wid see me sharpish. Ah've goat tae admit ah'm alweys struck wae how grand this buildin looks fae the outside. Mean, it's bigger than maist ae the supermarkets aroond here. Standin ootside ah took ah deep breath and exhaled slowly. Ah hud read in yin ae they shitty mags in the doacturs waitin room that this wis gid fur slowin yur hert rate doon. As ah walked forward taewards the automated entrance door's they part weys tae lit me inside. This boay comes oot fae naewhere chargin past me and he hud this look oan his puss ah've no seen since ah watched this documentary oan Vietnam vets. There goes another unsatisfied customer ah thoat tae masel. He's probably been telt he'll need tae learn tae fish if he wants tae feed his family fae now oan.

Ah go in and ignore aw the signs plastered acroass the wah that are yased tae direct folk tae the appropriate stormtrooper. Straight awey ah'm hit wae the stench ae austerity and ah almost OD oan the sickly aroma ae desperation that lingers through the corridors. Yince ah enter the groond flair's open plan ah notice yin ae the security guards sizin me up. These cunts alweys go intae terminator mode tae scan everyboady that comes in here wae their compassionless eyes. This allows thum tae produce a detailed two second profile ae yae and through this scientific formula you're placed intae a category. Maist people faw intae yin ae three categories, Junkie, Immigrant, or jist a run ae the mill scrounger and ah will say this. You shouldnae really take it personal. Cos anyboady who's unfortunate enough tae pass through these doors are treated tae the same discrimination. But obviously you huvtae take it personal. They're fuckin scum.

A wuman standin at the front wae a clipboard in her hand approaches me, "Are you here to Sign on?" she asks.

"Nah" ah tell her, "Ah've goat an appointment wae ma advisor, Frank McCann."

She takes ma dole book fae me and directs me tae the Joab database stations tae search fur a needle in a haystack until ma name is cawed. Takin a swift glance aroond the room ah noticed it's full ae faces covered in shame and humiliation as far as the eye kin see. As ah scroll through the list ae joabs in ma area ah've goatae admit ah'm a bit underwhelmed wae what's oan offer. Tesco delivery drivers wanted, handy fur somecunt who kin actually drive. Aw, here's an interestin yin, the British army are lookin fur new recruits. Mighta been interested if ah dianae huv this phobia against being yased as a clay pigeon. Each joab is worse than the last and ma only surprise is that they're no advertisin fur tour guides in Yemen.

Jist as ah look up ah spoat ma mate Bowser headin oot the door. He goat his nickname oan the strength ae resemblin that big scary cunt fae the Super Mario video game, only wae a shorter temper tae match. Yae ken how ah said earlier maist folk that pass through these doors faw intae yin ae three categories. Well, Bowser is a member ae an exclusive club as he's part ae the hidden category "Fuckin nutjobs". No a single security guard or advisor ever dares tae question why this boay comes in every Friday tae sign oan wearin his tattered lookin work bits and clais. Ah ken fur ah fact he's been workin at his cousin's scrappies fur the past six month oor in Granton. In this place boays like Bowser are treated as if they're endanger species or summit and naeboady goes near thum. Ma guess is that that's goat suttin tae dae wae the fact they aw ken their dealin wae a boay who wouldnae hesitate tae perform his ain version ae stigmata oan anyboady daft enough tae question his integrity. There's nae denyin Bowser's a cunt, but a gid cunt aw the same, ken what ah mean? Ah jist wish he wid stoap goin aroond stabbin folk.

Yince yur in this place that invisible Britain yae only hear whispers aboot or see oan a thirty second BBC news bulletin becomes clear as water. Aye, we're aw ordinary criminals in this place that's the yin hing that bounds us aw taegether. Fur every man and wumen that come here there will be two or three kids waitin at haime wonderin where the nixt meals gonnae come fae. It sais aloat aboot a country when yin ae it's fastest growin industries is foodbanks. Aw the while the politicians at Westminster wash doon caviar and lobster wae fine French wine. As fur the rest ae us we've bein tastin shite fur sae long we actually start tae hink it's a meal cooked by a Michelin star chef. Anytime ah'm doon at the dole ah cannae help but feel a wee bit like that boay fae the sweetie advert, Bertie Bassett. You'll find aw soarts here tae. There's the boay yasin yin ae the free phones in the corner ae the room wae the sweat pishin oot his pours and ah kin tell he's oan the brink ae dain a Michael Douglas fae that film Fallin Doon.

The poor sod hus maist likely been pit oan hold fur an hour and hus hud tae sit and listen tae Beethoven's symphony no.9. Only tae be telt he's entitled tae a three quid and sixty pence crisis loan. Then, there's this middle eastern guy who hus been stoaped at the entrance by three ae Princess Mall's finest rejects. Everyboady kin hear the guy's broken English tryin tae explain tae Larry, Moe, and Curly, that he's here fur an appointment wae yin ae the advisors. These bawbags huv cornered the bloke as if he's goat a weapon ae mass destruction stuffed inside his coat.

Mibbie three or four minutes later, ah glimpse this young lassie come in wae her two wee bairns. She starts talkin tae the wuman at the front desk and ah watch as the lassie passes her oor a caird. The wuman takes a quick look at the caird and withoot warnin shouts acroass the room, "Sally, have you got the vouchers for the Edinburgh North East foodbank there?" Ah really felt fur the young wuman, her face turned that bright a rid she could probably guide Santa's sleigh this year. The hale room turned tae face her direction tae see what aw the commotion wis aboot. These poverty enforcement agents need tae understand their dealin wae human beins and no jist another national insurance number oan the books. Sure, oan camera they welcome yae wae open airms but in reality yur as welcome as Michael Jackson oan the Disney channel. Finally, efter a gid few minutes the wuman appears wae a piece ae paper in her hand wae what ah assume tae be the foodbank voucher. Yince it's in the young lassies hand she quickly hurries oot the buildin wae her two young bairns in tow.

Ah must huv been standin aboot here fur at least half an hour until ma name is finally cawed, "Mr Cooper" a voice says. Ma fists instinctively clench as ah prepare fur a showdoon no seen since the O.K Corral. The first hing ah see as ah head taewards the direction ma name is bein cawed is the auld bag ae bones seated behind his desk. Ah'm no messin likes, this wanker looks like he's yin cauld awey fae blowin his brains oot . This fanny might look like Albus Dumbledore fae Harry Potter but ah ken fae personal experience he's a ruthless cunt when it comes tae turnin yae oor. As ah approach his desk he catches me unawares, it actually seems as if he's happy aboot suttin fur yince. Ah'm walkin the green mile and this prick seems tae be oan toap ae the world, nice, very nice. His irritatin puss only serves tae stoke the fire in ma belly and ah'm no talkin aboot ma indigestion, neither. He gestures fur me tae sit doon oan the chair opposite him and before ah ken it ma temper boils oor and ah snap.

"Listen, Where's ma fuckin money?"

Ma direct approach seems tae huv unnerved him. "Mr Cooper" he says, "I've been made aware of your situation. I don't appreciate that use of language.

But you failed to comply with the agreement you signed when you first started your claim for Jobseekers Allowance. A benefit sanction is standard procedure in this sort of situation I'm afraid."

"Standard procedure? They hear aloat ae that in the Hauge" ah tell him.

"Excuse me" he sais, in a clear state ae shock.

"Furget it", ah snipe, "You're tellin me it's fair ah'm bein held accoontable fur there only bein fourteen joabs in the area?"

Ma last comment appears tae send him oan the defensive, "I know it's not an ideal situation. But the conditions of your benefit entitlement are there for a reason. As I've said, failing to meet these will result in a benefit sanction."

Ah sat there hinking tae masel, "You dinnae see this oan Attenborough's shows. The lion sittin doon in front ae the poor zebra tae justify why he's aboot tae munch him."

Then, tae ma surprise, he springs some gid news oan me fur yince, "I've spoken to one of my colleagues. And an exciting opportunity has arisen. Are you interested?"

"Really?" ah say "That's brilliant. Dain what exactly?"

He appears ready tae shoot his load wae his announcement, "Working at the Barnardo's charity shop in the centre of town."

At this point, it felt like gone oan a night oot wae the lads and endin up in ma bed nixt tae a stunner. Only tae find oot the hard wey that in fact, she, is a he, and he's goat a bigger pair ae baws oan him than me.

"Charity shoap work?" ah ask him.

"Yes" he says "You will be reimbursed your travel expenses. Crucially though, if you accept this position, I have been authorised to reinstate your Jobseekers Allowance today". He then leans oor the desk and hands me a A4 piece ae paper.

"Bus Fares? That's it?"

Then the bawbag ah've come tae loathe begins tae surface tae the toap. He sighs, "I'm tired of you people coming in here."

Ah pause fur a few seconds and yince it finally sinks in ah'm no oan the set ae Downtown fuckin Abbey ah bite back "Wait, Who's 'you people'? Aw, yae mean the vulnerable and desperate?"

"I spend all day trying to help people in difficult circumstances" he says "And all I get is an attitude."

"Ma fuckin hero" ah tell him "Ah'm gontae be workin fur nout."

"I really don't appreciate your attitude" he informs me "And don't use that sort of language or I will have to have you removed from the premises."

"Really?" ah say "Well, there goes ma sleep thenight. Is this the details ae the sweat shoap, aw, ah mean, charity shoap." As ah wave the piece ae paper he hud handed me in the air.

"Yes, it is."

"Great."

"As usual it's like gittin ma baws cut oaff waeoot anesthetic. Fuck you, very much, prick."

Then ah git up tae storm oot ae purgatory's waitin room.

CLASS TREASON

Aldo and Craigy are baith sat oan the vomit-worthy, cream leather couch. Craigy looks sober, likes. But its clear yae cannae say the same hing aboot, Aldo. Fae the moment ah laid eyes oan him ah kent he'd been playin in the snow aw day. The cunt's nose wis leakin like a burst pipe and it wis twitchin involuntary. As if, somehow, it hud developed a mind ae its ain.

He's wearin this mingin, lime green, Nike tracksuit. Which hud clearly jist been liberated fae a shoap windae. He looks like he might jist brek free fae it tae if he breathes too hard. What wae his shoulders bein as broad as some steroid freak ae a Marine.

Ah'll no lie, eh? It's gid seein thum baith again. Soartae missed thum n that, ken? Cos fur the past two months Justine's hud me fobbin thum oaff wae a shoappin list ae excuses. Lies and reasons as tae why they cannae come roond tae the hoose. Reckon her dad's awready oan his third hert attack this year. And if the cat comes doon wae anymaire Coronavirus symptoms then even Aldo's gonnae be demandin we pit her in the vet fur a test.

But wae Justine bein away this week ah decided there's really nae need fur me tae lie anymaire. And ah jist thoat this wis the perfect time tae git thum roond fur a catch up.

'That right?" Aldo ponders. "Justine's up north seein they bams?"

"Her faimily, Aldo" ah tell him "No 'they bams' it's her parents."

He laughs at ma correction. Before a confused expression emerges and covers his puss.

"Aye, mate" he says. "You ken who ah mean. But what's she dain there though? Thoat Faither Time's hert hud packed in again? Surprised he's takin visitors."

Fuck me, cunt's goat a point, ah thoat. And even though his query is asked in a rather inconsequential manner, it does, nonetheless, gee me the fear. And ah kin immediately feel a trickle ae sweat runnin doon ma foreheid. No tae mention ma mooth hus suddenly become bone dry. Ah'm a terrible liar, yae see. Even oor text ah struggle. But in person? fuckin furget it. Ah fold easier than the biggest boattle joab yuv ever met in yur puff. Hinkin oan ma feet though, ah manage tae change the subject by offerin him a beer. A tactic that works and will always work if ever you require Aldo tae switch his focus awey fae a sensitive subject.

Craig's preparin a joint oan the coffee table.

Summit that wid never git tae happen if Justine wis in the hoose. He's wearin denim jeans and a standard black Adidas zippy. And as per fuckin usual, he's overdone it wae his aftershave and hair gel. Suddenly, Aldo flings his leg oantae the table, an unexpected move that jist aboot sends the almost prepared spliff oantae the laminated flair. Aldo then rolls up his jeans tae reveal an ASBO attached tae his left ankle. Grinnin fae ear tae ear he announces:

"Dougie, son. They'll be nae maire ae this ten o'cloak curfew pish efter themorra."

"Glad tae hear it, man" ah tell him. "Community service fur glessin that boay, aye?"

"Aye" he says. Before finally takin his fit oaff the table.

"The judge understood that it wis a healthy debate. Emotions run high durin such hings, eh?"

Craig glances oor tae him efter jist finnishin lickin the papers taegether.

"But it turned oot that boay wis actually agreein wae what yae wur sayin, Aldo?"

"That's right Craigy. But ah blame the boay's broken English fur the unfortunate incident."

Jist as he goes tae spark up the spliff, Craig turns tae face ma direction and casually informs me:

"That's why ah dinnae talk politics, Dougie."

It wis hardly Prime Minister's Question Time, likes. But Aldo alweys seems tae find a wey ae gittin his point acroass. And, suddenly, ah find masel wae a desire tae crack open another boattle. In the faint hope it might blank oot ae huvin tae listen tae these two dafties. Craig sparks up the joint and only efter a few draws ah kin see it's startin tae huv an effect oan him. His eyes huv turned that 'ah'm no quite fucked yit but it's in the post' rid. And as he passes the joint oor tae Aldo. Ah start convincin masel that ah'll be stoned oot ma boax soon enough tae jist fae the fumes reekin fae their joint.

A few maire tokes fae Aldo and he goes tae pass me the spliff but ah jist wave him awey. And as he accepts ma rejection withoot much resistance it's then that ah realise he'd never yit fully divulged the details ae what exactly his punishment wis fur attackin that perr boay.

"Aldo" ah says. "What aboot yur community service then?"

"Ah'm workin wae cunts wae disabilities" he says "Ken? take they'm tae the beach and throw thum a frisbee. That sortae bollocks."

This compels me tae choke oan ma beer. "You?" ah ask "Surely no."

Aldo scowls at ma reaction "Listen, ya dafties. That bunch ae Stephen Hawkins born withoot the brains are like family tae me."

Before ah'm even able tae string a sentence taegether. Craigy takes the words straight oot ae ma mooth: "Ah dinnae hink they'll appreciate yae sayin that, Aldo."

Aldo shrugs oaff this rather valid point. "They'll like what ah tell thum tae like. Lads, we're dealin wae cunts who wid fuck a pool cue geein half a chance."

A hertless comment that draws death stares fae baith me and Craig.

Aldo actually surprises the pair ae us though.

"Believe it or no" he tells us "But ah'll actually miss thum."

"Sorry, mate" ah say. Aw sincere, n that.

He then looks up at us aw teary eyed "Lads, they're the best runners ah've ever hud."

Ah pause. Understandin what he meant but hopin tae fuck ah wis in fact mistaken.

"Please tell me you've no goat thum droappin oaff gear fur yae, Aldo?"

He smirks, pleased as you like. "Of course. Ah git cheap labour and they git tae finally serve a purpose in society. Everboady's a winner."

"That's fuckin disgustin, mate!" ah snap. Leapin fae ma seat. Aye, probably a wee bit too dramatically

"Disgustin? Or gid business sense?" he asks.

There really is nae defendin this cunt sometimes. Ah mean, he really is a horrible bastard. Silence casts oor the room wae me and Craig gein him the morally superior cauld shoulder. We're baith far too annoyed tae speak tae the prick. But it isnae long before ah notice fae the corner ae ma eye the unopened stack ae letters piled oan the side table hus also somehow caught Craig's notice.

"What's wae the letters man?" he asks, gesturin taewards the pile.

"Dinnae ask, mate" ah tell him "Somecunt cawed Mark Henderson keeps gittin letters sent here. Justine hus been gone mental aboot it."

Aldo springs up fae his seat "Who?!"

"Mark Henderson" ah tell him.

And that's when he descends oan the hings like some spoilt wee bastard openin his Christmas presents.

"You ken that cunt?" ah ask.

"Well" he says "Pit it this wey. You willnae see me and him in the same room taegether."

Craig looks as confused as ah feel. And aw ah kin hear is Aldo mutterin tae himself: "Ah cannae believe this actually worked" whilst gigglin like a school lassie.

"You're Mark Henderson, Aldo?" ah seethe. "That's no right?"

"Nuttin gits past you, eh?" he laughs. "Hing is Dougie boay. Ma credit ratin's fucked. And wae your missus bein a teacher? well, ah bright boay like you kin dae the math. Dinnae worry though, man. Yince ma loan comes through ah'll throw you and yur dug a juicy bone."

Ah jump up tae grip the bastard's throat but Craig bloacks ma path. "Sit doon, Dougie" he says, and points tae an elated Aldo. "And as fur you, Aldo" Craigy says, "You owe Dougie an apology."

"Listen, if you two are gonnae bitch and moan," Aldo says, "then ah'll jist cancel the fuckin hing."

"Too fuckin right yur cancellin it" ah tell him. "Too fuckin right yae are."

Aldo then shoots oaff tae the bathroom. Fur what seems like an eternity.

Yae could cut the atmosphere in the room wae a knife. Ma hert's still beatin like a Cherokee drum due tae the rush ae adrenaline. Craig tries tae engage me in conversation "Where the fuck hus Aldo goat tae?"

At that very moment he strolls back in the room. Aw fillae smiles and laughter. Before, that is, he produces a letter fae his poacket. "And ah quote" he reveals. "Mr Michaels, thank you fur yur application in regards tae oor manager's position. Yur interview is oan blah, blah, blah, suck yur cock when yae git here."

Ah snatch the letter fae his big auld bear paws. "Geez that fuckin hing"

"Congrats, mate" Craig squeals, wae genuine excitement.

Aldo, oan the other hand though, is stood shakin his heid in clear disgust. "Ever since yae goat wae the princess ae Morningside yuv became an embarrassment tae me and everyboady else."

"Ah'm an embarrassment?" ah laugh. "What? cos ah want a better life fur masel?"

"That"s fuckin right" he barks. "Yur a middle class wannabe. The dregs ae society."

Ah spring up fae ma seat. "Ken what? git the fuck oot ma hoose. Yur no worth the shit oan ma shoe."

"Really?" he says. Aw shocked and hurt. "Yae hear that Craigy? Wur no worth the shite oan his shoe. C'moan, mate. We're leavin."

"What?" Craig says. Pure puzzled.

"You're awrite, man" ah assure him. "But this cunt oan the other hand?" And ah stand pointin straight in Aldo's direction.

Aldo is ragin, but Craig remains seated. "C'moan, we're oot ae here."

"But ah'm still stoned. Ah cannae drive." Craig appeals wae him.

Aldo shrieks "Ah dinnae gee a fuck!" Then he takes a quick look at his watch. "If ah'm no in ma hoose in fithteen minutes. Ah'm gonnae huv the filth knoackin doon ma door."

Craig reluctantly gits up tae leave. But jist as ah hink everyhing's settled doon. Aldo hus yin maire dig at me. "Yae ken what, 'Mr Big'?" he says "You've committed class treason, here. Fuckin big promotion, n that. Yae make me sick".

"Ah make you sick?" ah chuckle.

"That's right" Aldo spits.

Tae which ah glance oor tae Craigy. "Kin yae believe this moron, Craig?" ah say. But, alas, he decides tae assert his right tae remain silent and ignores ma question.

"He agrees wae me, by the wey" insists Aldo. In a self-congratulatory and unforgivin tone. "He's jist no goat the baws tae tell yae the truth."

"Agrees wae what exactly?" ah pressure him tae ken.

"Look in the fuckin mirror" he explains. "Since yae goat wae her you've become a middle-class wanker. Fur fuck sake, yae dress like a banker noo."

"She's goat gid fashion sense, that's aw. Only makes sense tae git her advice."

"Sure" he says, wae a grin. "Then there's this place?"

"What's wrong wae it, likes?"

"It looks like a fuckin showroom. Mean, what's wae aw the poncy art, eh?" He motions acroass the livin room walls. Where there's some up market lookin paintings pinned oan thum. "No sae much as a single fitbaw picture in sight" he remarks.

"We baith appreciate the arts, that's aw" ah tell him.

Aldo shakes his heid. "Then there's last

weekend. You cancelled a long overdue lads' night oot, fur what again?"

"It wis a couple's night" mumbles Craig, who's remained an annoyingly neutral cunt before. But no now.

Aldo continues oan wae his tirade. "A couple's night?" he tuts. "If ever there wis three words that didnae belong taegether in the same sentence. Ah bet yae went tae some posh theatre or suttin. Tae watch some tart greetin fur an hour cos she's loast her shoe."

"We went tae the King's Theatre...Tae watch Cinderella" ah respond, utterly beaten.

"Ah rest ma case" he says, egoistically. "C'moan Craigy, we need tae go. Ah hink ma work here is done."

Ah kin feel the rage flowin through ma veins like lava doon a volcano, ready tae explode. And before ah ken it, ah cannae hud it in anymaire. Ah jist lit rip. "Git the fuck ootae ma hoose then, ya bam!" ah tell him.

He looks at Craig sae assure ae himself. "Ah bet yae he's goat the Mamma Mia soondtrack in his cd pile, tae."

Craig ushers him oot and ah'm left contemplatin he fact that Aldo might jist hae a point here. Anytime we dae anything it's alweys her choice. Last night ah wanted tae watch The Wire and we ended up watchin Sex and the City, instead. She's even been talkin aboot us baith adoptin a vegan diet. The thoat ae eatin aw ae that tasteless healthy shite is makin me ill. Up until Aldo's wee ootburst ah never really gave any ae this any thoat. But as much as it pains me tae admit it, eh? he's actually goat a point.

He's wrong though aboot the Mama Mia soondtrack though. Even Justine kens ma cd collection is oaff limits. Some stubbornness oan that in order tae secure a small victory fur masel. But fuck it, ah'm gonnae go through thum thenoo fur peace ae mind, if nuttin else.

And siftin through thum ah'm relieved tae see the likesae Oasis, The Rollin Stones, and the rest ae the usual classics. But this relief is, of course, shoart lived. Cos as ah git tae the boattom ae the pile there it is waitin fur me. Like a diagnosis ae the clap. It's her Mamma Mia soondtrack.

Ah ken in this moment that Aldo wis speakin sense and that ah really huv become a middle-class prodigy withoot even realisin it.

FROM WUHAN TO LEITH

When ah first heard aboot this coronavirus business ah thoat tae masel, "These Chinese are resilient wee bastards. They'll soart this oot before teatime". But noo look, eh? The hale country's in loackdoon and ah'm a prisoner in ma ain haime. Aw, and as if that wisnae bad enough it turns oot the virus is maire racist than the fuckin LAPD. Which means ah'm walkin aboot wae a great big fuckin bullseye oan ma back. Ah kin hear a bit ae a commotion comin fae the landin ootside ae ma flat. Ah'm tellin yae, likes. Ah'm ready tae lit oaff a few live roonds in the direction ae this selfish bastard. Of course, ma abuse will need tae be volleyed fae a safe socially distant space. So, as ah swing ma front door wide open ah'm surprised tae find its auld Mrs Henderson who steys in the flat opposite mines loackin up her hoose. Ah'm no sure what age she is but wae her wrinkly auld puss and winter white hair ah'm guessin she wis still kickin aboot fur the Spanish Flu.

"Mrs Henderson" ah says. "What are yae dain oot here?"

Efter she finishes loackin up her door she slowly turns tae face the direction ae ma voice. And ah kin almost hear her brittle bones creakin as she turns aroond.

"Aw, it's you, Aldo" she asserts, wae a half herted smile.

"Yae do ken there's a pandemic goin oan?" ah ask her. "Ah thoat you auld yins wid be hidin under yur beds."

"Aye" she sighs. " But ah need tae go tae the shoap. Ah've ran oot ae toilet roll."

"Kin yur son no go fur yae?" ah ask her.

"He's stuck doon south. He cannae git back up until nixt week."

Ah stare at her aw comfortin. "That's a shame. Ah'm alweys tellin the lads the problem wae society nowadays is naeboady's goat any respect fur you auld dears anymaire."

"What kin yae dae" she concedes.

"Well, ah tell yae what yae kind dae fur me. Grab me twenty L and B and a litre ae vodka fae the shoap when yur there."

She seems a bit taken a back wae ma request but reluctantly gees me a noad. Ah quickly pass her twinty quid note withoot actually touchin her hands.

"Jist ring the bell when yur back and leave ma stuff at the door. We dinnae ken what yae might bring back wae yae."

Mrs Henderson turns awey tae heid doon the flight ae stairs. Appearin a wee bit doonbeat if truth be telt. Then, in a moment ae weakness, ah decide tae show a bit ae mercy.

"Mrs Henderson" ah says.

She glares back at me wae a twinkle ae hope in her eyes "Aye, son?"

"Here's a mask" removin yin ae they flimsy cheap blue yins fae ma poacket before passin it tae her. "Ah dinnae want you dyin oan me."

"Thanks" she, tells me, before she goes tae make her wey oor tae the shoap.

Ah shout tae her as she goes doon the narrow flight ae stairs. "And dinnae you listen tae that Johnson. You auld yins are gonnae be awrite."

And even though she doesnae lit oan tae ma wee confidence boost. Ah cannae help but feel a wee bit better aboot masel as a heid back intae the flat.

Ah walk intae the kitchen tae make ma mornin ritual cup ae coffee. Jist a little caffeine boost before ah hit the drink and snort some snow, later. Jesus, ah'm faced wae a sea ae bags ae bog roll layin in disarray oan the bunker. Ah ken what yur hinkin, eh? What aboot auld Mrs Henderson, right? Well, ah could huv done the honourable hing, ken? Be the gid neighbour and gee her yin ae packets ae toilet roll. If that, bit ae philanthropy floats yur boat. But that widnae git me ma smokes or voddie, wid it? Nah, ah mean ah um wae these auld yins in spirit. Only, you ask me, eh? Then they've fell oan their swords fur this generation before. And ah hink it's only fittin that they dae the same hing wae corona.

This is probably the maist time ah've spent in the hoose since furever. Cos, usually ah'm oot and aboot wheelin and dealin. Or doon the Carousel huvin a few jars wae Dougie and Craigy. The bordome's been a fuckin killer, likes. Only saviour is that ah'd managed tae borrae a couple ae sociology books oaff Dougie. And they've somehow helped tae idle the hours awey. Been readin yin by this boay cawed Karl Marx and he makes an oaffae loatae sense fur a crout. Accordin tae what ah could understand aboot this sociology game. As soon as the umbilical cords been cut, the system's the puppeteer and you're the puppet. It's food fur thoat tae be honest. And ah've been tryin tae digest it ever since ma mind's eye took it in.

That must be Mrs Henderson back fae the shoaps cos someboady's jist rang the doorbell. Openin the front door ah find that ma boattle ae vodka and ciggies huv been carefully laid ootside. Withoot geein it much thoat, ah quickly grab the stuff and then heid back inside. Ah rest the boattle and ciggies oan the oak coffee table in the livin room before ah heid straight through tae the untidy bathroom tae cake ma hands in sanitiser.

Business hus plummeted cos ae this virus. Ah've loast a lotae fuckin money, that's fur sure. None ae ma runners will pick up or droap oaff fur me in case they catch it. Deep doon ah jist wish ah wis still dain ma community service cos nuttin wid deter they retards fae dain business. Thanks largely tae the fact that none ae thum are playin wae a full deck. That's why ah've hud tae diversify ma business by buyin up loads ae tinned food and bog roll jist so ah kin punt it tae the locals fur a marked-up price. Take the lassie above me, eh? Her young bairn is autistic, and he'll only eat Heinz's beans and sausages which she jist couldnae git fae the shoaps. So, it retails at a quid and ah selt her a tin fur a tenner. Granted, likes. She wisnae happy aboot peying but like ah telt her "It's a seller's market". If the Prime Minister and his minion's kin make a quid or two ootae this human tragedy, then why can't Aldo? At least that's what ah hink. That wey they're better gittin fucked oor wae yin ae their ain than some toffee nosed bastard sittin behind a desk. Anywey, ah never heard the Reich Chancellor say anyhing aboot financial support fur local drug dealers. And at the end ae the day, we've goat tae eat tae.

Been buzzin oot ae ma nut maist ae the day. Oan coke and heavy bevyin. Yae could argue it's a normal day fur me but ah hink it's a mindset hing wae the boredom n that, ken? Started oan the gear earlier and ah've jist been chillin oot. Listenin tae a few tunes, ever since. It's no the same as bein doon The Carousel though. But the music does help tae keep me sane. Oan a positive note, as well. Ah've also managed tae gee the flat a much-needed spring clean. Obviously, this new foond love fur cleanin wis inspired wae the energisin effect ae the ching. And jist wae the amoont ae sweetie wrappers and empty beer boattles ah collected. Ah managed tae fill up three ae they large black rubbish bags. The coffee table and TV unit are sparklin clean tae efter ah gave thum a polish. And wae jist a few blasts ae Vanilla Febreeze air freshner ah managed tae git rid ae the gaggin smell ae ciggie smoke that wis pollutin the air in the room. Aboot half an hour ago there wis raised voices comin fae that lassies hoose upstairs and her bairn wis screamin his tiny heid oaff. Everyhing seems tae huv settled doon noo but ah'm sure ah could hear a boays voice and as far as ah ken she's no goat a fella. Anywey, ah'm jist settin up another line oan ma Oasis CD case. Which ah've carefully positioned oan ma lap. As ah snort the thick line ae white through a rolled up ten quid note it feels as if the stuff's lit a fire in ma brain.

Jist as ah take a quick swig ae ma boattle ae Budwiser that noise fae upstairs hus started up again but only this time it's louder and the bairn kin be heard hysterically greetin again. There's defo a boay up there cos yae kin hear his deep voice roarin "Ya fuckin bitch!" The lassies yelpin in pain like some wounded wolf and ah'm startin tae hink this cunts geein her a batterin. Even wae crackin up the volume ae the music ah cannae droon oot her screams ae pain. And now ma mobile hus started tae vibrate oan the coffee table. But, well, tae ma surprise it's actually a call fae a landline number which ah dinnae quite recognise. Even still, ah decide that ah better answer the fuckin hing.

"Hello" ah says. "Who's this?"

An elderly, softly spoken voice replies "Is that you, Aldo, son?"

"Aye, who's this?" ah ask whilst takin another swig ae ma boattle.

"It's Mrs Henderson."

"Mrs Henderson?" ah say. "How did you git ma number?"

"Remember, son" she tells me. "Yae gave me

yur number a couple of months ago? Yae said if ah ever need anything tae jist gee yae a bell?"

"Ah said that? And ah gave yae ma right number? Jesus, ah musta been smashed that day. So, what kin ah dae yae fur?"

"Well" she says. "It's the lassie above yae. Ah hink her boyfriend is batterin her again. He's a nasty piece ae work. Could you go up and check oan her? Cos ah'm worried fur her and the little yin."

"Aye" ah sigh. "You git back tae yur coffin, hen. Ah'll handle this."

"Aw, that's great, son" she says, aw relieved n that, before she hangs up.

By the time ah thow oan ma pair ae Timberland bits and head up tae the second flair her screams huv grown louder and aw the folk in the buildin are standin oot at their door weys trying tae hear what's goin oan. Finally, ah'm at her door. Starin doon number '17'. Ah bang hard and oan the hing. Tryin ma best tae imitate the familiar soond ae they determined polis cunts. Then, the door swings open and ah'm faced wae some gremlin lookin bastard whose sweatin and pantin uncontrollably. His mooth foamin in a fit ae rage.

"What the fuck dae you want!" he roars. And there's me jumpin back. No wantin any his saliva tae hit me.

"Listen, dafty. Ah dinnae ken what this is aboot. And tae tell yae the truth ah dinnae want tae ken. But keep the fuckin noise doon!"

Then the young lassie appears fae her livin room. Before she stands, cowarin behind the boay.

She's clearly marked wae bruises and there's blood tricklin doon fae her nose and mooth.

Ah dinnae ken if it's the coke or ma knack fur mindless violence but suddenly ah've goat an urge tae smash this cunt aboot the buildin.

"You did this?" ah demand tae ken. Gesturin taewards the lassie.

"Aye, ah did" he says. "You goat a problem wae that? Dae yae ken who ma brother is? He's Paul McCann, ask aroond, pal. You'll no like what yae hear."

This threat gees me a soft chuckle. "And what um ah gonnae hear, eh? That you tongue his baws every night before his bed?"

Immediately he tries tae take a swing at me. Which ah duly brush oaff before ah gee him a quick right hand ae ma ain. That bursts his puss like a tomatae. Ah've then grabbed him before ah start geein him a few boady blows. Until finally ah throw him doon a couple flights ae stairs. And straight awey everyboady in the buildin kin be heard cheerin fae their doorweys; "Aldo! Aldo!" they chant. It really wis summit, likes.

His motionless boady is spread oot oor the pathwey and his puss looks as if it's jist been ran oor wae a train. Ah'm soon hoverin oor him admirin ma handy work.

"You tell yur wee sister there's an open invitation at Aldo's" ah tell him. "Number eight. Oh, and if ah see yae aroond that lassie and her bairn again, then believe me. You'll hink this wis a fuckin tickle."

As ah heid back intae tae ma flat ah'm met wae

a hero's welcome fae the natives. Men, women, and children are smilin and applaudin me. And tae tell yae the truth? Ah somehow feel a bit like a movie a star. But then this single thoat leaps tae mind:

"What if that cunt hus goat corona?"

As soon as ah shut ma door behind me ah strip doon bollick naked and heid straight intae the shower. Ah scrub ma boady wae hoat water and soap. It feels as if ah've jist been violated. Ah'm scrubbin masel that hard wae the sponge that ma skin is almost startin tae peel oaff. And then suddenly, right there and then. Ah started comin up wae a theory. And then ah convince masel that ah'm right. What if her sendin me up tae batter that bastard wis Mrs Henderson's pay back fur me sendin her tae the shoaps? What if that sweet auld wifey hud actually set me up tae die? And there's me went and fell fur it. And ah didnae even see it comin. Fae Wuhan straight tae Leith. What if ah'm fucked?

Lost and Found

Ah'm jist oan ma wey tae the corner shoap aroond fae ma flat. This hus been ma mornin routine fur as far back as ah kin remember. Only this time ah'm no gone there fur a cheeky cariy oot. Nah, ah'm oan ma wey tae grab some fresh rolls and a bit ae bacon fur ma brekie. Ah ken what yur hinkin? What is a muslim dain eatin bacon? Well, if ah follaed everyhing in the Quran ah widnae be fuckin Aldo. Anwey, you'll no find any answers in that hing. Trust me, eh? ah've looked. Jist as ah'm aboot tae heid intae the shoap some wee fanny boay racer drivin an aqua blue fiat punto comes beltin doon the quiet road before comin tae a screetchin halt. The driver quickly tosses a rubbish bag fae the motor before speedin oaff again in the opposite direction. Naeboady seems tae be aboot and there's an eery silence cast acroass the deid silent street. Which kin probably be explained wae the fact that the mornin paper husnae even hit the shelfs yit. Ma gut feelin is tellin me tae ignore the bag and go aboot ma business but noo ah'm left wae this naggin thoat:

"What if there's gear in the bag?"

Ah make a tentative walk oor tae the bag that the cunt wis sae eager tae git rid ae. But ah'm alert enough tae take a quick look aroond. Ken, jist tae make sure there's nae eyes oan me. Wae the weight ae the hing it feels heavier than it actually should. It's sealed so ah rip it open and even ah'm surprised wae what ah find inside. Insteed ae a white brick ae gold ah'm huddin this tiny puppy in ma airms. And it's starin at me wae its huge baby seal eyes. Jesus, he looks at me. Before he lits oot a tired yawn and he seems content. Which astonishes me, tae be honest - seeins how he's jist been chucked oot a motor. Ah carefully lay him back doon oan the road and turn tae heid back tae the shoap and furget that this ever happened. And jist as ah've convinced masel ah've done the right hing ah hear a feable attempt at a bark and straight awey ah ken he's goat me by the baws.

Against ma better judgement ah've broat the dug back tae ma flat. He's a timid and frightened wee hing and ah kin tell he's as unsure aboot this arrangement as ah um. Tae be honest, ah ken fuck aw aboot dugs. Well, apart fae that loat that haunt The Carousel oan a Saturday night. Ah gently rest him oan the rug in the centre ae the livin room and ah'm prayin he doesnae decide tae take a piss oan it. The poor sod seems a bit shaken and stand oaffish. Probably due tae that cunt drivin the car. Efter bribin him wae a bit ae ham fae the fridge he seems maire at ease cos he's littin me take a closer look at him. There's a small cut near his ear wae some dried blood aroond it. This is defo a staffie, eh? Ma mate Freddie hud yin years ago and there's maire than a resemblance between the two. Ah soon decide that fae themorra ah'll phone roond they dug haimes and see if there's any takers. But if he's steyin the night ah better heid up tae that pet shoap oan the top ae Leith Walk tae git some pissin pads fur him cos he's no relievin himsel oan ma glowin laminated flair. Before ah leave the hoose though ah set doon some rules.

"Listen, little yin" ah tell him. "Yae dinnae like me, eh? And ah dinnae like you." He tilts his tiny heid tae the side as if tae say, "What the fuck are yae goin oan aboot?"

"This is ma hoose" ah remind him. "You stey oan that side ae the room, ah'll stey oan this yin. And dinnae even hink aboot settin yur paws oan that couch."

Mibbie ah'm still high fae the night before cos he seems tae huv a decent understandin ae English. And before ah ken it the wee fella hus trotted oaff tae park his bag ae bones nixt tae the fireplace.

Fur fuck sake, ah only went in fur a cheap bag ae puppy pads and ah've came oot a hunner quid oot ae poacket. Mean, will yae look at this, eh? ah've goat a lead, a collar, a few squeaky toys, dug bowels and an array ae treats fur the hing. And this wisnae ma dain either. It wis this tidy brunette hing who works there. She comes oor aw sweet talkin, n that. Seducin me wae her patter and as soon as ah telt her aboot findin the dug her boattum lip started tremblin and she goat aw emotional. Anywey, before ah even hud a chance tae blink she wis racin aroond the shoap dain a supermarket sweep oan me. Grabbin anything she thoat wis "cute" or "adorable". Through gritted teeth ah parted wae the money. Aw humble n full ae smiles. But see if she hud been ten poonds heavier, eh? Then ah'da telt her tae git the fuck oot ma wey and ah mighta even threaten her wae a complaint ae harassment.

As ah set fit back in the flat there's some consolation tae be hud when ah see that the undersized mut hus respected the hoose rules. He's no pissed or shat anywhere and nuttin hus been chewed tae pieces. He's still sittin slumped doon where ah left him though, but ah kin tell wae the twinkle in his eye that he's pleased tae see ah come bearin gifts. Efter waterin and feedin him ah sit doon tae read aboot Friday nights disaster at Easter Road. But even wae the paper bloackin ma view ae him ah ken his eyes are still firmly fixated oan me. Ah kin actually feel thum cuttin through the paper like a hoat knife through butter. This little yin is playin a game ae chicken wae me in the hope ah'll cave and take him a walk oan his new leash. Cos ever since he cloacked the hing he's kept his peepers oan it. And ah'm actually positive that he noadded taewards it. Ken, as if tae tell me tae pit it oan him and lits fuckin go. But he's shit ootae luck, eh? Cos you'll see Kim Jong Un git a noble peace prize fur his humanitarian work before that happens. Fuckin hell, man. The silence is cripplin. Ah ken the mut still husnae flinched yit. Lowerin the paper tae take a gander at him is aw the confirmation ah need. He's busy starin right fuckin through me.

"Jesus" ah says tae him. "Dae yae want tae go a walk then?"

He jumps up fae his bed in an excited state and begins barkin. Which of course is a clear, "What dae you hink, daft cunt?"

So here we are, eh? oan a walk aroond the bloack but admittedly this is maire ae a hostage situation than a bit ae healthy exercise. It's no like ah'm here through choice, ken? But ah suppose it's better he's pissin ootside than inside the flat. Ah refuse tae gee him a name cos if ah dae that then ah might as well pit a ring oan his paw. Wae any luck he'll be someboady else's problem themorra. And aw ae this will jist be a distant memory fur us baith. He's busy sniffin aboot the plants that run along the pathwey. And there's an air ae arragance in his posture. Likesae, he seems tae comin maire oot his shell compared tae when ah first foond him. He stoaps tae lift his leg up and takes a piss oan a lamp post and he looks up at me tae, as if tae say "Keep oan walkin". Then a gust ae wind comes oot ae naewhere and blows an empty coke boattle at him, which sends the dug cowarin behind me. And ah kin jist tell this cowardess stems fae that bastard in the motor leavin a stain in his psyche. Ah stare doon deep at his helpless frightened wee puss. And as ah dae ah find masel feelin genuinely shan as fuck.

"It's awrite, son" ah tell him. "Ah'm here. Naecunt kin hurt yae now."

Ma words seem tae huv goatten through tae

him, as he gees me an approvin noad ae acknowledgement. Before swiftly he returns tae sniffin aboot and markin his territory oan any lamppost he comes acroass.

Aw ae a sudden ah see this beauty ae lassie walkin taewards us. Ah've hud ma eye oan her fur a while. We've past each other oan many an occasion, likes. But she never seems tae take any notice ae me. Dinnae ken why but ah've alweys hud this hing fur rid heids. She soon cloacks the wee fella and instantly she's aw oor him. He's lovin the attention tae. A proper showman so he is. Lyin sprawled oot oan his back as he takes in her beautiful Hollywood smile.

"He's so cute" she squeals.

"Aye, he's awrite" ah tell her.

"What's his name?"

Ah pause. The pressures oan. Countdown conundrum music playin in ma heid. And it's no jist her who's awaitin ma answer, either. Ah kin see that even the dug huv moved tae the edge ae his seat.

"Eh" ah says "His name... ah mean his name, is...Bruce."

Thank fuck ah'd watched Die Hard last night or ah wid huv defo drawn a blank.

"Ah've goat a bulldog" she informs me. "We should take them out a walk together, maybe?"

Will yae look at this, eh? this wee hings a fanny magnet. Ah mean, she's practically goat her mooth wrapped aroond ma cock as we speak.

"That wid be magic" ah tell her.

Whilst diggin intae ma jeans poacket tae produce ma moblile phone. And before ah ken it we're exchangin numbers. As easy as fuckin that. But the sense ae euphoria doesnae last. Cos then ah remind masel that ah'm gittin rid ae the wee man themorra. Ah decide tae no lit this wee detail dampen ma chances ae a ride though. Ah'll jist tell her he shot oot in front ae bus. Cos, lits face it, such hings happen tae folk's pets every day.

As me and Bruce heid back taewards the flat ah'm quite literally skippin.

"There's nae Pedigree fur you the night little yin" ah tell him. "Ah'm gonnae be cookin you the biggest and juiciest fuckin steak you've ever seen. You done yur uncle Aldo proud, son."

Ah phoned every dug haime in the toon that ah could find in the yelly pages. But, alas, there wis nae takers. Ah'd left ma number wae thum, likes. Efter they assured me that they'd git in touch yince a spoat opened up fur him. So, the plan wis fur Bruce tae stey wae me fur a few maire days. But these few days quickly turned intae a fortnight, cos naecunt phoned. Hing is though, ah'm no complainin. Tell yae the truth the wee guy hus actually grown oan me. And ah'm pretty sure the feelin is mutual. It's hard tae explain, likes, but ah kin feel his love every time he looks up at me. As a result, the idea ae gittin shot ae him isnae as attractive as it yince wis. Which is why ah've stoapped chasin up the dug haimes.

Last Monday ah hud crashed oot in front ae the boax efter watchin Goodfellas fur the millionth time. And guess who ah woke up tae find sleepin nixt tae me oan the couch? Bruce the strange hing wis ah kind ae liked huvin him lyin nixt tae me, eh? And since that night tae we settle doon fur a bite tae eat and we sit and watch the telly taegether. It's become sortae a tradition fur the pair ae us, ken? He's even started tae dae suttin which pits a smile oan ma miserable puss, n aw. Every mornin he gits up at the same time as me and follaes me through tae the bathroom. And as ah'm brushin ma teeth he jist sits there patiently and watches. Then he'll shadow me as ah prepare oor breakfast. We've even hud a couple ae play dates wae that lassie Chrisitna and her dug Lara. Bruce and her git oan great taegether. And as fur me and Christina? Well, it's still early days, of course. But it's pretty obvious tae me that she's jist itichin tae book her ride oan the Aldo express. Bruce hus come oan leaps and bounds these past couple ae weeks. Growin ever maire confident as each day passes. It's no like ah want tae keep him, likes. But ah reckon it wid be almost cruel tae gee him tae someboady else. Especially since wuv jist started tae git yaist tae each other. Ah've even lit him sleep oan ma bed. Ah mean, ah hud tae, eh? Cos anytime ah left him oan his ain at night he kept oan greetin. In ma time ah've hud maire dugs than a Chinese restaurant but wae Bruce it's different. Cos unlike the times before ah hud him in ma life. Well, ah'm actually glad ah kin still remember the night before.

First hing this Thursday mornin ah goat a call fae a private number. At first ah thoat it might be that auld Mrs Henderson sendin oot another SOS call hence why ah hesitated tae answer the hing. Eventually ah caved and picked up but ah wis shocked tae hear someboady fae yin ae they dug haimes oan the other end ae the line. They wur phonin tae say they've goat a place fur Bruce and tae bring him up there the morn. Aw mornin ah've been goin oot ae ma mind tryin tae decide what tae dae fur the best and it's probably the biggest decision ah've hud tae make in ma life. Obviously ah've been puttin a brave face oan it fur the little mite as no tae alarm him. But he kens suttins up jist wae the glances ah've been gittin fae him. The hing is ah hate tae admit it but mibbie he wid be better oaff wae a nice middle-class family, fancy hoose and a fitbaw pitch sized gairden tae go wae it. It's decided ah need tae lit him go and he needs tae furget me and this place. Fur the first time in ma life ah've actually pit someboady before masel, so why dae ah feel so shitty? He needs tae hear this fae me ah owe him that at least.

"Bruce, come hear, son" ah tell him as ah wave him oor fae his bed. Emotions are awready runnin high and ah kin feel a lump developin in ma throat. Bruce gits up fae his bed and wanders oor tae me before he jumps up oan the couch. Starin intae his doe-eyed eyes ah find masel unable tae brek the news tae him. Finally, ah manage tae compose masel.

"Ah want yae tae hear this fae me and no some ersehole at the park."

He tilts his tiny heid wae a worried expression spread acroass his puss.

"We wur kiddin oorsels that this wid last" ah tell him, if no a bit choked up. "Your goin tae be livin in a dug haime fur a bit. But it's maire like a spa, honest. Then some nice family who kin offer yae maire than ah kin will come and take yae tae yur new haime. And you'll furget aw aboot me."

He droaps doon oan the couch a depressed and

defeated dug. He stares up at me and gees me a soft whimper. Ah try tae make him understand ah'm dain this fur him:

"Listen, you'll love it there and in nae time you'll be wae yur new family. They'll gee yae much better life than ah ever could."

Ma explanation seems tae huv fallen oan deaf ears cos he's jist turned his back tae me.

"Please dinnae make this any harder than it needs tae be, Bruce" ah plead wae him.

As he jumps doon fae the couch and makes his long walk tae his bed. There's nae doot he'll no furgive me fur this but ah jist hope oor time he'll see ah done this fur him. And tae be frank ah feel as bad inside as he looks.

The drive up tae the 'Paws Dog Sanctuary' oan the ootskirts ae the toon hus been hard fur aw concerned. Bruce hus been shakin like a leaf in the motor and the closer we've goatten tae oor destination the maire helpless he appears tae be. This drive hus been nae teddy bears picnic fur me neither and ah cannae git ma heid roond the fact a dug hus broat me tae near tears. Finally, we arrive and fae the ootside this place looks pretty grand. Tae soothe Bruce's anxiety, ah try tae gee him a few words ae wisdom:

"Bruce" ah says "This is a tough situation fur baith ae us." Though he gees me the cauld shoulder.

Ah turn him roond tae face ma direction.

"They'll be bigger dugs in here but trust me their bark will be worse than their bite. Ah hud tae deal wae the same dafties in the jail. But yur like me, you're a fighter. Ah need yae tae be brave fur me, ok pal?"

Ah git a reluctant noad fae him before we make oor wey inside.

It's kindae impressive inside here, tae be honest. The place radiates wae a warm and welcomin vibe. Each wah is painted in bright primary colours and are thoughtfully decorated wae pictures ae baith big and small dugs. And every picture is accompanied by written info ae how they're rehaimed success stories. This tells me that every mut in here are loved and cared fur in exactly the same wey.

And ah cannae lie. It's reassurin. Ah kin jist imagine Bruce's mugshot up there real soon. Efter he's foond a ready-made family who'll spoil him rotten. A middle-aged family are sittin oan the cozy lookin seats in the waitin room. Their eyes fixated oan the large widden doors opposite thum. They're pretty much droolin at the mooth in excited anticipation at bein greeted by the new member ae their family. A sight that only serves tae validate the increasin belief that ah've indeed done the right hing. No that Bruce seems tae be buyin what this lot are sellin, likes. His heid habitually still starin doon at the shiny flair.

Suddenly, and withoot warnin, ah hear this high-pitched voice comin fae behind me.

"Sir" it says. "Can I help you?"

As ah turn roond there is this freckled pussed boay wae rid hair wearin a bright yelly toap wae the places logo oan it.

"Aye, yae kin, mate" ah tell him. "Ah've broat ma dug Bruce here tae be re-haimed."

He smiles at me "You must be Mr Ali? We

spoke on the phone." He extends his hand oot and ah dae the same. "My name is Gordon" he says.

"Aye, pleased tae meet yae" ah tell him.

He soon cloacks the disinterested Bruce, who's sat nixt tae me. And straight awey he starts fussin oor him. "Oh, and this must be Bruce" he says. As he gees him a pat oan the heid.

Bruce rolls his eyes and ah kin tell he's hinkin tae himself, "What's this ginger cunt's game?"

He signals fur us tae follae him intae a small office which is situated directly behind the reception desk. Where, he tells me, ah'll be handin oor ma signature in order tae make it official that Bruce is nae longer mines. It's a blink and yull miss it affair and before ah ken it ah've committed ink oan the line which is dotted. Fur ma ain piece ae mind ah've insisted oan takin Bruce tae his new digs. The boay leads us doon a long corridor until we reach a pair ae large domineerin doors wae a sign oan they'm which reads 'Dog Kennels'. We walk in and the atmosphere turns fae Sesame Street tae suttin that wid remind yae ae 'Silence ae the Lambs'. Oor presence in the room hus set the dugs in the kennels mental. Ah mean, honestly, they go absolutely fuckin nuts. Some even begin chargin at the metal bars while others cower and whimper in the corner. But then aw ae a sudden it hits me, eh? Where's Bruce? And as ah look back ah kin see he's frozen tae the spot. Held there in a paralysed mixture ae fear and anxiety. It isnae until ah wave him and instruct him tae follae me that he remembers how tae yase his wee legs again.

It isnae until we reach half wey doon the kennels that the carrot- topped cretin stoaps in front ae us and announces: "This is it" motionin taewards a large and empty boax ae a room. He opens the door and Bruce gees me a worried look.

"You'll be fine, son" ah says, reassuringly. And wae that Bruce enters his new haime.

He immediately slumps tae the groond. Like some deflated hoat air balloon. And as ah watch his helpless surrender ah find masel strugglin tae hud back the tears. Ah decide tae pull this pencil pusher tae the side. Jist tae gee him a few pointers oan how he should be accommodatin Bruce.

"Listen, mate." Ah tell him. "He'll expect a steak everynight. But if you pit his plate doon even a minute past nine then he'll no talk tae yae fur hours. Trust me, ah've been there. See, he's goat a hing fur a lassie oan Corrie. It's a long story. So, he'll need a nice big telly, right? He seems tae like tae stare at her tits."

The boays looks stunned and demented. "We are still talking about the dog, right?" he whispers.

"Of course, wur talkin aboot the fuckin dug" ah snap. "And his name is Bruce."

"Okay" the boay tells me. But ah sense a bit of sceptisim.

"And yin maire hing, mate" ah say. "If naeboady takes him in. Ah take it you guys will pamper him tae his last days?"

Tae ma surprise, and utter disgust, the boay laughs in ma puss. "No, I'm afraid not. If we can't rehome him in six months, then he'll be getting a special visit from our vet."

"You mean like a fuckin medical, or suttin?" ah ask.

"Oh, god no" he tells me. "He'll be a new member of doggy heaven."

"Lower yur fuckin voice, you!" ah scream. "He's goat a gid grasp ae English!"

He appears tae look slightly perplexed by ma revelation. And there's suttin aboot his dismissive demeanour that no only enrages me. But it also influences me intae decidin that that wis aw jist yin big, horrible mistake.

"Ken what, eh?" ah tell him. "Furget it. He's comin back haime wae me. Where he belongs."

It's Sunday mornin and ah've jist dashed roond tae the corner shoap fur some ae their juicy sausages which ah'll be fryin up later fur oor breakfast. But jist as ah git tae the door ah find masel stood there fur a minute. Before ah take a look roond at ma surroundins. It's strange, ken? Cos it wis ootside this shoap, at almost this very same spot, that aw ae this madness began. Ah take in this thoat and ponder it fur what seem like minutes. In reality though it wis probably only a couple ae seconds. Yit, it makes an impression oan me. And ah smile tae masel as ah enter through the shoap door.

As soon as ah git back tae the flat ah see that Bruce husnae moved a muscle. He's been sat there in the hallway aw this time, patiently awaitin ma return. Ah crouch doon tae rub his neck cos he loves when ah dae that fur some reason.

"What ah gid boay you are, son" ah tell him.

But ah've furgoat tae shut the front door behind

me and suddenly Bruce hus cloaked this stocky tracksuit cunt passin. He immediately starts snarlin, spitefully. And aw his back hair sticks up, as if in fight mode. Ah've never seen Bruce reactin this wey tae anyboady. So, as ah go tae shut the door ah shout doon tae apologise tae the boay.

"Sorry aboot the barkin, mate" ah tell him. "Ah dinnae ken what's goat intae him."

Aw ah git when he turns in ma directions is a set ae daggers fae the fanny. Suttin's no sittin right wae me aboot this. He looks dodgy as fuck. So, ah lean doon tae ask Bruce ootright what it is he doesnae like aboot the boay.

"Bruce, dae yae ken that guy, eh? Talk tae me, son?" He replies in barks which grow increasingly louder. It's a clear "Oh, ah ken that bastard, awright" if ever there wis yin.

Ah throw ma jaiket back oan and pick up Bruce. Ah cerry him as we follae quickly in pursuit. And it's no long before we've caught up. Bruce is still snarlin though so ah pit ma hands acroass his mooth tae ensure the blasts ae hate he's littin oot is muted. This boay is completely unaware that wuv goat eyes oan him. Me and Bruce watchin as he turns sharpishly doon yin ae the side streets. We are fast oan his trail but as ah turn the corner, fuck me, there it is. It's the fiat punto Bruce wis flung fae - the same exact yin.

"Is that your motor, scumbag?" ah shout oor tae him.

He turns, hastily. "Are you talkin tae me?" he asks.

"Dinnae gee me the hard ae hearin routine" ah says. "Is that your fuckin motor, or no?"

He brushes me oaff. "Git tae fuck, ya fanny."

Ah point tae Bruce as ah walk taewards the boay. "Did you throw this dug fae oot that motor a couple ae weeks back, daft cunt?"

He smirks knowingly, as if in appreciation ae a cherished memory. "Oh, that?" he says. "That mut's jist lucky ma petrol wis oan the rid. Or he wid huv been gone fur a swim doon the docks."

"Bruce, son" ah say "cover yur eyes, pal. This is gonnae be fuckin messy."

And believe me, eh? It wis.

FUNNY MONEY

Such occasions as this wid normally be held at some run doon miners club in the ootskirts ae the Toon. An expense spared, social gatherin, where watered doon pints and a buffet straight fae the shelfs ae Iceland wur the only guarantees. But this grand buildin widnae ken a watered doon pint if you threw it straight in its owner's puss. And as soon as ah saw the name oan ma invite, ah kent summit wis up. Fur Dalhousie Castle is almost certainly yin ae the plushest venues in the hale ae Scotland's central belt.

So, yae kin imagine ma surprise when ma beautifully decorated invite droapped through the letterboax. Especially when yae consider this particular delivery wis sent fae someboady who lives oan sixty quid a week dole money. And who hus a questionable knack ae snortin snow. A familiar fact which drove me tae rush through tae the kitchen and make sure it wisnae April the fuckin first. But yince ah goat it confirmed that it wisnae, in fact, a cheap laugh at ma expense. Ah instantly felt obliged tae share the excitin news wae wee Brucie. Who wis busy enjoyin his mornin munch.

"Brucie, son" ah said "Yur uncle Craigy is huvin an enagement pairty" – of course he didnae seem too bubbled oor wae the news. But his tune soon changed when ah telt him "It's at Dalhousie Castle" – and it wis this bit ae info which caused him tae suddenly start chokin oan his pedigree chum. And tae speak truthfully. Ah actually thoat ah wis gonnae huv dae perform the Heimlich manoeuvre oan the poor might. A clear indication he wis surprised as anyboady aboot the pairty's posh location.

The little man's steyin wae Mrs Henderson fae acroass the wey. Ah couldnae ask Christina tae look efter him since we hud finished oan such unpleasant terms. She hates ma guts. But ah'll no bore yae wae the details. Lits jist say there wis a clash ae principles. Besides Bruce will be jist fine wae the auld yin. Ah've broat him up tae respect his elders and she'll be glad ae the company fur the night, nae doot.

Ah arrived here in a taxi wae, Dougie. A decision that made perfect sense considerin neither ae us wanted tae travel oor in a crammed bus departin fae The Carousel. Tellin yae, likes, yuv goat tae hand it tae, Craigy. Efteraw, bookin a place like this deserves nuttin but praise and admiration. He's pulled oot aw the stoaps fur his missus and that, ah guess, is love. Still, yuv goatae wonder how he's managed tae dae it, eh?

The cunt's supposed tae be maire skint than almost everyboady ah ken. However, he's determined tae keep us guessin. Cos anytime me and Dougie question him oan it aw he does is clamp up before quickly changin the topic ae conversation. Naeboady kin deny, it's been a gid night oot, so far.

Plus, even though ah'm no exactly what you wid caw, the sentimental type. The evenin hus offered me some welcomed blasts fae the past. It jist goes tae show yae, eh? that whisperins ae a free bar oan offer seems tae circulate roond toon and help find maire folk than a million cardboard milk cartons. Only doonside, of course, is the fact there's a distinctive lack ae talent walkin up and doon the room. In fact, tae be honest wae yae. Ah've no seen this many dugs assembled in yin place since ah watched a hunner and yin dalmatians in the 90's. A reality which is as depressin as it is demoralisin. Cos ah came along here wae much enthusiasm and high hopes ae pullin. And that's exactly why ah pit oan ma best Ben Sherman shirt. No tae mention ah generous splash ae Hugo Boss aftershave. Still, hings could be worse, eh? Ah could be wearin Dougies pink shirt which is decorated in yelly flowers. Course, typical ae him, he blames, Justine fur his questionable fashion choice. But ah'm no buyin it. Ah hink he gits oaff oan standin oot in a crowd.

Ah kin see that Craig is busy playin hostess. Manouverin between tables, shakin the hands ae his guests. There's definitely maire and maire folk pilin oan the dance flair, tae. Especially since the DJ cranked up the deafenin tunes ae Calvin Harris. Some folk huv broat their bairns along, n aw. While maist ae they'm are runnin aboot kickin balloons between their dancin parents. And it's no long before ah cloack the unlucky bride standin there, as well. She's the lassie wae the animal print ootfit. Lookin every bit as if she's a blond beehive awey fae winnin a Lily Savage lookalike comp.

Ah'm startin tae question whether ah should git up oaff ma erse and go in search ae the elusive, Dougie. He's takin the complete piss, likes. And ah'm left tae ponder oan ma lonesome. As the very real prospect ae soberin up enters ma mind. A thoat which is never a gid yin when yur oot huvin a session, lookin tae pull. The wey ah look at it, eh? the maire drink poured doon ma neck the maire chance there is yin ae these skanks suddenly appearin desirable. So, ah soon decide that another pint cannae come quickly enough. And before ah ken it ah'm downin the fucker. And it tastes gid, likes. In fact, it's probably the maist euphoric consumption ae lager ah've ever experienced. The sense ae joy is shoart lastin, though. Cos ootae naewhere ah feel someboady's grubby paws touch me oan the shoulder. An unwanted physical approach which startles me tae ma core.

"Awrite, Aldo" whispers a monstrous, ugly voice, direct in ma ear.

And as ah turn tae reveal the soonds identity ah see that it's a vile lookin boay who's wearin an equally mignin burgundy cap. He's also sportin a jaundice coloured zippy which jist aboot pits him oan a par wae Dougie fur the maist overstated fashion sense at this bash. Fae the cunts fresh pussed complection, n aw. Ah cannae imagine he kin be much aulder than eighteen. Remindin me ae yin ae they wee bams ah often encounter whilst oan a stroll through the park wae Brucie, ken? yin ae they'm who spend their weekends freezin their baws oaff. Bein loud, wide, and attemptin tae intimidate folk. A shinin example ae Scotland's loast youth and the type ae erse ah despise.

Ah pause fur a second, eh? jist tae see whether ah kin place him, or no. Nah, dinnae ken him. And he's no yin ae ma customers. Still, he seems tae hink wur long loast best pals.

"Dae ah fuckin ken you?" ah ask

"Nah" he says. "But…"

Ah stoap him midsentence "Well, ah dinnae hink that needs tae change" ah say. Before ah wave him awey like the bad smell he is.

Ma mind swiftly returns tae the mysterious whereaboots ae Dougie and the nixt roond. Still though, ah cannae spoat sight ae him amongst aw these feel gid pairty goers. A failure that hus left me somewhat puzzled. Especially when yae consider what he's wearin. That radiant pink shirt which is probably visible fae the International Space Station.

This is some line up, eh? Mean, talk aboot the usual suspects. This pairty really is a who's who ae Edinburgh's maist prolific petty criminals. A vast variety ae shoaplifters, drug dealers, and the clinically insane. Maist ae thum nae doot yaisin this hert warmin occasion tae case the place fur a personal best score. In fact, it widnae surprise me in the slightest if they've awready each goat a detailed mental blueprint ae aw its priceless paintings and their locations.

Ah stand up fae ma seat as ma patience wae the cunt is finally exhausted. But just as ah'm aboot tae steam through the crowd and find him. He suddenly emerges. And even though ah'm still mad wae him the fact he's carryin a tray full ae drinks helps tae calm me doon.

"Where the fuck did you git tae?" ah ask him. "Ah've been sittin here chokin oan a fuckin drink"

He shakes his heid.

"Dinnae ask, man. Ah goat stoapped wae Craig's Aunty, Sharon. Ken? her who's obsessed wae the Royals."

Douglas rests the tray oan the purple and white decorated table. Before he lifts his pint and takes his seat opposite me.

"That's why ah like the circus, Dougie" ah confess tae him.

"What dae yae mean?" he asks.

"Well" ah says, coolly takin a sip ae ma Barcardi and Coke. "At least there's bars between you and the freaks."

Dougie responds wae a playful smile.

"So" he says, leanin forward. "Ah wis meanin tae ask. What happened between you and Christina? Ah thoat yae might go the distance?"

"That's personal stuff, mate" ah tell him "Widnae be right discussin it wae yae at a piss up. It wis true love, me and her."

An awkward silence develops between us. Neither ae us quite sure what tae say nixt. Ah ken he's sittin there regrettin brining up mines and hers untimely brekup. And yince maire ah'm left tae reflect oan what might huv been between me and her.

"Ah thoat she wis the yin, Dougie" ah sigh. "But

ah could never forgive her fur that. Tae hink ah shared a bed wae her. It jist sickens me."

Dougie takes a deep breath. Seemingly overwhelmed wae ma bombshell "Did she shag someboady behind yur back, or suttin, mate?"

Ma emotions git the better ae me and the pain ae losin ma yin true love sets oaff the waterworks. Ah bang ma fist oan the table "Ah cannae even say it."

"What did she dae, mate?" squeals Dougie.

"She wis a fuckin Tory" ah tell him, whist greetin hard intae the tablecloth.

"A Tory?" he says "Ah dinnae fuckin believe you sometimes, Aldo."

"Ah kept seein that Theresa May cunt's puss, when we shagged. Sometimes ah couldnae even git it up."

"Jesus" he says "That's fucked up, Aldo."

"Well, it's the fuckin truth" ah tell him.

We sit there endurin maire uncomfortable silence together efter that unfortunate revelation. But no fur too long as ah decide tae git in another roond. He seems relieved when ah ask him what he wants. And ah stand up again tae heid oaff tae the bar. As ah attempt tae navigate ma wey through aw these guests oan the dance flair. Ah'm greeted wae loadsae unfamiliar pusses and aboot an equal number ae some ah ken. Ma quest tae reach the bar isnae an easy yin, likes. This place is jumpin, it's absolutely fuckin mobbed. And it seems that every step forward is bein interrupted by yit another chalk white drunk who's ready tae boke their load. Then there's aw these nippy bairns who are rushin aboot under ma feet. Eventually ah catch a glimpse ae Craigy. He and his missus still at work playin the immaculate, grateful hosts. Baith ae they'm laughin and jokin wae an aulder couple ah assume, tae be her mum and dad who resemble the Twits fae that book ah read in Primary School. Efter a gid five minutes ae weavin in between the hustle and bustle. Ah finally arrive at ma destination, the bar.

Luckily, the queue at the bar hus awready fizzled oot. And as ah approach the coonter ah notice jist how smartly dressed the boay pullin pints is. This is a plush establishment, right enough.

"Sir" he says "what can I get you?"

"Two boattles ae Bud" ah answer.

"Not a problem, Sir. My pleasure."

Before he turns awey tae grab two ice cauld yins fae the fridge.

Everyhing aboot this place is up market. It reeks ae toff success and prosperity. The bar itsel is made ae proper solid oak. And fur the life ae me ah've been unable tae verify any blade marks or dried up blood splatterd acroass it.

He returns wae ma two boattles ae Bud and pops the lids oaff they'm before handin thum oor.

"Cheers, mate" ah tell him. Tae which he dually responds wae a smile.

By this time the lyrics ae Gerry Cinnamon are influencin the atmosphere in the room. Wae maist folk ur either dancin, or joyfully signin along wae his captivatin words. Ah even sing along tae as ah begin ma journey back acroass tae Dougie. When ah finally make it their ah kin see he's sittin back soackin up his surroundins and the positive atmosphere. Clearly, he's enjoyin the music tae wae the wey he's noaddin his heid and smilin.

Ah stretch oor and pass him his boattle.

"Thanks, man" he says. Whilst still observin the pairty.

Fur a brief moment we sit back in oor comfy seats. Enjoyin the company as what we are. Two auld generational mates. Nae naggin burds tae contaminate the unspoken bond we share, either. Although he does enjoy the company ae his missus, eh? far maire than he wid ever care tae admit. No fur me though. Ah'm glad tae be a free man in this moment in time.

"Looks who's headin oor wey" Dougie mutters. Pointin desperately behind me.

But before ah even git the chance tae turn aroond. The unmistakeable voice that could sink a thoosand ships kin be heard yellin.

"Dougie, Aldo, what are you two dain here?" it's Sally, eh? a plump lassie wae a surprisin fizzy personality. Her dress code resembles suttin yae wid find doon Leith docks.

"Take an educated guess?" ah assuredly tell her.

"Easy" she says. "Ah'm only makin fuckin conversation". Then she flings her huge erse intae the seat nixt tae mines.

"This place is a bit fancy, eh?" she says, lookin aroond the hall.

"Aye, fur the likesae you it is" ah tell her.

"Ha fuckin ha" she says. "But ask yursel this yin. How did that muppet Craig afford this?"

"Fuck knows" admits Dougie.

Ah dae ma best tae drone these two oot. As they start bletherin awey tae each other. Before Sal starts spoutin maire pish aboot how her man, Tony. Who, as everycunt kens, is a degerent fuckin drunk. Walked oot oan her and her creepy fuckin son, Peter. Ma only question is how did it take him that long tae see sense. But ah decide tae keep ma critical opinions oan the matter tae masel.

"That useless motherfucker" she announces tae us. "He left us wae no a pot tae piss in. Ah hud the choice ae pittin Peter in care or lookin efter him. Easiest fuckin decision in ma life."

"So, what happened?" ah ask fakin fur the sake ae fake interest. "Wur the social full?"

Dougie gazes acroass tae me "She means keepin him wis the easy choice."

"Really?" ah says. Starin at her aw shocked, n that.

"Of course, that's what ah meant. Cheeky bastard" she cracks.

Then oot ae naewhere ah catch sight ae this pretty tidy lassie glancin acroass at me. She's huddled in a group ae women who ah assume tae be her mates. Ah dinnae ken her fae Adam, likes. So, ah nudge, Sal.

"Who's that lassie?"

"Who?" she asks, turnin aroond.

"The blonde yin wae the shoart black mini skirt?"

"That's, Leanne" She says "Marco's sister. She's goat nae self-respect that lassie. Shags anyhing."

Instantly ah rise fae ma seat again. Speed walkin ma wey oor tae her and her group ae mates.

Ma heid's still bangin fae Craigy's and Caroline's pairty. Ah've hud tae take a worryin amount ae paracetamol these past couple ae days. Anymaire and it's surely a trip tae The Royal fur me. But any concern aboot that is quickly diluted by the fact that so far they've barely touched the edges. Even the wey Bruce rolls his eyes anytime ah droap yin, isnae stoappin me. Accordin tae ma phone ah've hud a dozen missed calls fae Craig. Aw in quick succession, n aw. Not that ah wis deliberately blankin him. Ah hud the hing oan airplane mode whilst it's been chargin. No that ah'da been in a hurry tae pick up. Efteraw, the last hing ma heid needs noo is tae hear that cunt tellin me that he's invested in a Chicken which is busy shittin oot golden eggs.

Turns oot Bruce wis oan his best behaviour fur Mrs Henderson. As a reward ah'd promised him a long overdue lads night in. Nuttin too fancy, likes. Jist the pair ae us and another season ae Breakin Bad. He seems tae huv a connection wae that character Tuco. Ken, the big cunt wae a shoart fuse. Fuck knows why he seems tae like him sae much. But he seems tae huv been starin at the firestick remote fur the past hour noo. Obviously eggin me oan tae heid straight tae Netflix and hit play. Jist as ah'm aboot tae dae exactly that though. Aw ae a sudden ma phone starts ringin again but surprisingly, this time, it's Dougie. Ah hesitate tae answer at first but wae Dougie's unusual persistence ah decide ah better hear him oot and answer.

"What's up?" ah ask.

"Listen, shut the fuck up" he says, in a rather concernin panicked state.

"You're the yin who's phoned me, remember?" ah tell him. As ah almost choke oan a Dorito.

"It's Craig, Aldo" he says "Git yur erse doon tae the Royal. Ward ten, it's bad. Ah'll explain maire when yae git here." Almost soondin as if he's hoadin back the tears.

"What's happened, likes?" then the line goes deid.

Ah phone a taxi, immediately. Before flingin oan some claithes and ma Doc Martens. Bruce is naturally disappointed ah've hud tae cut shoart oor night in. But yince ah sit him doon and explain tae him how his uncle Craig is in hospital. He sticks his paw oot fur me tae shake when ah promise him a holiday soon fur his understandin. The taxi then soon arrives and oan ma wey oot ah chap Mrs Henderson's door. And she seems only too happy tae take Bruce again.

The driver droaps me oaff right ootside the hospital entrance. Ah pey the boay his fare and chuck in a couple quid tip fur his troubles. Ah gesture he seems tae appreciate. Tight cunts in Edinburgh probably the reason fur his overt gratitude. As soon as ah set fit ootside the taxi the heavens begin tae open up. The rain splatters oaff ma jaicket and the cauld wind cuts right through me. There's aw soartsae people walkin in and oot ae the buildin's automated front doors. Doacturs, nurses, and visitors, alike. Young, auld, and ancient. In ma rush tae reach shelter fae this shitty weather ah barge past thum which results in a few ae they'm mutterin negativity under their breath.

During ma brief trip tae the hospital fae Leith ah hud a loatae hings rushin through ma heid. Different scenarios n that, ken? Aboot what might huv landed Craig in The Royal. But then ah remembered how him and Dougie love the drama. Like a fuckin pair ae young lassies who cannae wait tae start gossipin aboot suttin - anyhing. Ah then decide that Craigy's maist likely broken a tae or summit. And ah bet when ah walk in he's lyin in bed munchin oan a bunch ae expensive grapes. As ah wander aboot ootside the WH Smith in the hospital ah kin see aw ae these signs plastered aboot wae aw these different wards. Yins splattered in big bold capital letters, as if every cunt in there must be blind. Still, ah'm lookin fur ward ten and tae ma sheer frustration ah cannae seem tae see it. Luckily though ah soon cloack a boay and he's fast approachin doon the corridor in ma direction. Wae him huvin a white coat oan and a pair ae stethoscopes aroond his neck. Ah naturally assume that he must be a doactur.

Ah go up tae him "Excuse me, mate" ah say "You couldnae tell me where ah kin find ward ten, could yae?"

"Of course, Sir" he says, in his posh well-spoken voice. "That's the ICU ward"

Ah freeze.

"Sir?" he says, wavin his hands in front ae ma face.

"Sorry" ah tell him. Immediately snappin back intae reality. "That's the Intensive Care unit, right?"

"That's correct".

"But ma mates only broke his tae though?"

"Well, sir, The ICU is ward ten". He points tae the nearby elevator "Jump in and head for the third floor. You can't miss it."

"Okay, thanks" ah tell him. Still feelin a bit light heided and bewildered by his revelation.

Walkin inside the elevator ah decide tae pit the doacturs mistake doon tae sleep deprivation. These doacturs are worked intae an early coma wae the hours they git through in a week. Still, ah decide tae go along wae him and press the button tae take me tae the third flair. The door opens and as ah walk oot ah'm fuckin stunned. Cos, above the door starin back at me is a big number ten and an even bigger kick in the baws awaits. When ah see that it does in fact say, ICU.

Ah quickly splash a bit ae hand sanitizer oor ma hands and lovingly massage it in. Before a deep breath as ah enter the ward. A nurse is sittin behind a desk at a computer oan reception. She cloacks me walkin in and gees me a warm, understandin smile

"How can I help, sir?" she asks, in her sweet, angelic voice.

"Eh, ah'm here tae see ma mate, Craig Robertson" ah tell her "He wis broat in earlier."

"Yes, of course, he was admitted at four 'o clock. Head straight down to the bottom of the corridor and it's your first left. There's a gentleman already with him."

"Thanks" ah tell her. Feelin even maire deflated than ah wis before ah entered that lift.

It's only a shoart trip tae the room. But in aw honesty it feels as if ah'm walkin the five hunner miles the twins wur sae eager tae sing aboot. Ah kin feel the cauld breath ae impendin death oan ma neck as ah walk doon this corridor. Finally, ah arrive at the room. And ma first vision doesnae inspire confidence. Dougie looks like a helplessly defeated man. He sits slumped intae a blue widen airmchair wae his hands in his puss. Fae the corner ae ma eye ah catch a peep ae a figure wired up tae these machines. Withoot inspectin any further ah ken it must be Craigy. Temptation gits the better ae me though. And as ah turn, ah dinnae recognise him in the slightest. His puss is aw swollen and pulped oot. And it's colour is pure beetroot rid. Even his fuckin eyes are jist lifeless slits. He's clearly in a bad wey.

"What the fuck happened!?" ah roar.

Dougie instantly springs up fae his seat. Lookin absolutely shattered and pathetic "It wis the great white."

Ah pause fur a second "A great white did this?" pointin tae Craigy's unrecognisable puss. "Wis he at Portabelly beach, or suttin?"

Dougie explodes. "Are you stoned, or what?!" he screams "No an actual fuckin shark" he says, almost at a murmur "It wis Mikey Hood."

"The loan shark?" ah ask.

"Fur fuck sake, Aldo. Aye" his teeth grindin taegether as his temper escalates.

"How dae yae ken that?" ah say.

Dougie then starts pacin up and doon the room. Like a nervous boaxer seconds away fae his call. "Caroline filled me in oan how Craig came intae aw that money fur the pairty."

"Right, and?" ah growl.

"He's been passin funny money aboot. And the daft cunt wis pumpin five grand worth ae notes through Mikey's clubs. So, he sent roond some heavies tae the hoose. He still wants his money tae. You've goat history wae that cunt, eh?"

"Aye. Hibs and Herts. Where's Caroline?"

"Ah sent her haime" Dougie says, whilst collapsin back doon intae his seat. "The state she wis in. Ah telt her ah wid phone yince ah hud any news."

Ma eyes cannae be drawn awey fae Craig's smashed up puss. They've done a right number oan him. The picture starin back at me sends ice water rushin through ma veins. "Ah'm gonnae be seein that bastard, Mikey. Real soon."

"Yae cannae" Dougie says, aw frantically.

"How the fuck no?" ah ask him.

"He said if you goat involved, or the polis. Then this wid seem like a friendly warnin."

"Aye" ah says. "What else did he say?"

Dougie looks increasingly maire anxious. And ah kin almost sense he might droap doon deid ae hert attack at any minute. So, ma nixt move is tae pit his mind at ease.

"Listen, ah'll square him up wae what Craigy's due. If that pits this shit tae bed. And Craigy will pull through, eh? stronger than ever."

Ah kin feel the relief in his voice "You're a gid mate, Aldo" he tells me.

Ah noad in agreement. "Craigy kin dae some chores fur me. Yince he's back up oan his feet. What's the docaturs sayin?"

"They should be roond soon. It's too early tae tell."

Ah slump in the seat nixt tae him. Still reelin fae what's happened. This explains aw they missed calls fae Craigy. He wis obviously phonin me cos Mikey's heavies wur oan his tail. There's nae two weys aboot it, eh? Ah'm riddled wae guilt. Hence ma offer tae pey the five bags tae clear the debt. Still, better tae keep his SOS call quiet fae Dougie. Fur the noo, at least. Emotions are clearly awready gone in aw sortsae directions at the minute. Nae need tae start pointin unwanted fingers ae blame at any yin person. Neither ae us are able tae rally the strength tae communicate tae yin another. Baith ae us ae too mentally and physically drained tae speak. Under the pretence ae nippin oot fur a quick smoke ah make a few calls tae git a location oan, Mikey. And ah've goat it oan gid authority that he's in a boozer oot Granton wey cawed 'The Highlander'. No jist himself though. He's goat his muscle wae him tae. There should be nae maire violence though. Oan accoont ae no wantin tae make hings worse fur Craig ah'm gonnae pey the cunt oaff and jist leave it at that. By the time ah make ma wey back in the room. Suttin's evidently ratteld Dougie's cage yince maire.

"What's the matter?" ah ask while. Dreadin the answer but a valid question none the same.

"It's fifty fifty, the doac says. Suttin tae dae wae the swellin oan his brain. Nixt twenty four hours are gonnae be crucial."

"Ah'll be back soon" ah reassure him. As ah turn awey and walk oot and make ma wey back doon the hallwey.

"Wait. Where the fuck are you goin?" ah kin hear him caw oot.

But he kens exactly where the fuck it is ah'm gone. Ah'm gontae see that Mikey cunt. As ah emerge fae the hoaspital doors ah see that ah've goat the pick ae the awaitin taxis. Ah jump in the yin parked nearest tae me and heid straight tae ma flat tae pick up the cash fae ma safe. Ah quickly stuff the wad ae notes in a white envelope and dart back ootside tae the taxi. The Highlander is a notorious boozer in Edinburgh and it's a name that rings oot far and wide. It doesnae take us long tae arrive there. Largely oan accoont ae the traffic no bein that bad. Ah git the driver tae park aroond the corner fae the pub and as soon as ah jump oot the rains starts hammerin doon. This pub kindae takes me back tae Saughton, likes. Wae it's run doon appearance and steel bars acroass it's windaes.

Strollin inside it's clearly a boozer that time hus long since furgoatten. The interior resembles a 1970's time capsule, if truth be telt. It seems fairly busy though. Wae boays scattered acroass the room. Some locals, and wannabe gangsters. Aw enjoyin cheap booze while they watch the ponies oan a large plasma telly attached tae the wah. The place fast becomes quieter than a library when ah'm cloacked by thum. They watch me as ah scan the room in search ae Mikey. Then ah hear the cunts conspicuous husky voice. He's laughin and jokin wae his heavies at the back ae the bar. His muscle lappin up the attempts ae pishy humour by this two bit gangster.

Headin straight taewards thum wae tunnel vision his boays soon turn stone face yince they see me approachin. Each yin ae thum ken ah could brek thum in half while rollin a ciggie. Mikey finally turns aroond tae. Ah kin see he's still smokin his cheap cigars. Yin clumsily danglin fae his mooth. He sports a sombre navy-blue suit tae. Always tryin tae gee the impression he's Edinburgh's very ain Tony Soprano. It's pathetic, likes. He's a gid few year aulder than me but he's still a wannabe, like the rest.

"Aldo" he says. Aw bright eyed and wae whisky drippin doon his weasel like puss. "It's been a longtime, eh?"

Ah gee him the daggers "Yae ken why ah'm here. Ah heard yae bumped intae a mate ae mines, eh?...Craig?"

He glares aroond tae his lads. Smilin like he's the cat that jist bagged the cream "They telt yae aboot that, did they? Listen, ah ken what yur hinkin, Aldo."

"Really?" ah says, actin surprised. "Well, ah'm sorry yae hud tae hear that, Mikey."

His muscle sniggers. But they're quickly shut doon when Mikey gees thum a dirty look tae "That's cute, Aldo. Ah'll lit that yin go, eh? oan account ae what's happened. But you remember where the fuck you are, ken?"

Ah hud up ma hands, apologetically "Ah'm no here lookin fur trouble" ah tell him. Then ah slyly pull oot the envelope wae the cash in it fae ma jaicket poacket.

Ah slam it doon oan the bar "What's this?" Mikey asks puffed up.

"That's five grand" ah tell him "That's Craigy square wae yae, right?"

"Okay" he says, quietly.

"So, we're gid?" ah ask him.

Tae which he smiles and taps oan the envelope "The debt's been peyed, aye. We're cool."

"Soond" ah tell him "That's gid."

As ah turn awey and heid tae the entrance door. He predictably wants the last word "You tell yur wee darlin, Craig. We kin talk aboot the interest peyments when he's back oan his feet. Fur aw the inconvenience he's caused me."

A chorus ae laughter erupts fae him and his entourage. And they're too much in love wae thumselves tae even notice what ah dae nixt. Ah walk up tae the front door and begin boltin the place up.

As ah walk up back taewards they'm Mikey's still grinnin awey tae himsel. And he jist cannae fuckin wait tae bait me some maire "Look aroond yae" he says. Gesturin tae his five goons. "You might be a crazy fuck, Aldo. But you're oot gunned here, ah'm afraid."

"Lads!" ah shout. Ma eyes dinnae flicker fae their direction. The hale place seems tae stand up in unison. Instantly sendin the bar staff cowerin fur cover. And yince the miserable bastard sees ah'm no a long ranger. Aw his self-confidence evaporates intae thin air. A changin emotion which sends his cigar droappin tae the flair.

"Dinnae mind they'm" ah tell him, noaddin behind me. "They're only here tae make sure you cunts suffer."

TAKEOVER

They cheesy Disney films set at high school alweys make it oot tae be some glorious passage ae life. Where aw yur dreams and hopes are made possible. At least, that's the propaganda they fill yur heid wae. Ken, tae gee some much needed hope tae aw the loners and Harry Potter wannabees. But ah'm here tae tell yae the truth. It's a fish tank full ae sharks and orcas and ma only problem wis ah wis nuttin maire than a loast and frightened goldfish. It's been a long time since ah gave much thoat aboot ma time at Ainslie Park. Or, at Leith penitentiary, as it wis kent amongst the locals. That wis until ah came acroass this auld photo ae me and Craigy. A snap taken before we embarked oan oor first day there. We looked like a pair ae scared fuckin rabbits. Ah came acroass the hing while ah wis helpin the missus tae clear oot the attic. A borin bastard ae a chore until ah foond this beauty hidden awey in some dusty lookin tennants boax. And ever since then ah've been flooded wae memories ae that day. Which ah hud furgoat aw aboot. But ah'm gittin aheid ae masel, likes. It's far better that ah explain how the day panned oot. Mibbie then you'll understand what ah mean.

Ah goat up oot ma kip that mornin sleep deprived. The night before ah'd spent tossin and turnin in ma bed. Crippled by a maze ae thoats rushin aboot inside ma heid. Will ah git ma heid kicked in? Are the teachers gonnae be horrible bastards? What if naecunt likes me? And the list ae self-doots went oan and oan. First hing ah did wis throw oan ma school claithes before ah went through tae the kitchen tae see ma parents. Straight awey ma mum cloacked the fear drippin fae ma brow and lovingly she reassured me that everyhing wid be awright. And fur a brief moment there her words helped tae soothe ma alarmin levels ae anxiety. That wis until ma faither decided tae inject himself intae the conversation.

"Son" he said, while lowerin his newspaper. "Jist remember, eh? snitches git stiches."

Ma hert felt like it hud skipped a beat wae this piece ae info as ah wis stood in the kitchen numb wae fear.

"Joe!" ma mum snapped. "Leave the laddie alain."

"Ah'm jist sayin" he tells her "Naeboady likes a grass."

"Well" ma mum quips. "That school is different fae when you wur there."

Ma faither stared at ma mum "It's goat maire

vicious if anyhing" and he then pointed straight in ma direction "Ah wid rather he choked tae death oan his ain blood than brek the playgroond code."

If ma erse wisnae flappin before he opened his mooth. Then it certainly wis now. And as ah wis still digestin his warnin they baith began arguin amongst themselves. Then a welcomed distraction appeared ootae naewhere. In the form ae a knock at the front door. It wis ma saviour, Craigy.

Even still, his presence done nuttin tae lighten the tense mood in the air. He hud the same undeniable shattered appearance as me. Ah didnae even need tae ask him tae ken he wis riddled wae the same self doots that wur circlin aboot inside ma heid. He wis smartly dressed in an identical school uniform. Which consisted ae a plain black toap wae the school emblem oan it. A pair ae freshly polished shoes. Black troosers and a white shirt and rid tie. This wis the first year that Ainslie Park hud introduced such a uniform. Apparently in the hope that it wid stoap the hate crimes against the poor cunts who kept gittin bashed cos their parents wur too piss poor tae afford the latest big name brands. As we wur aboot tae head oot the door tae make the shoart trip fae ma hoose oan great junction street. Ma mum jumped in front ae us wae her cheap throw awey camera in hand and insisted oan takin a picture ae the pair ae us. Reluctantly, of course, we obliged her. And we posed through gritted teeth as she snapped awey wae excitement.

"Oh, they look so adorable, Joe?" she cried.

This wis met wae a half herted grunt fae ma faither who wis too busy being engrossed readin aboot the exploits ae Hibs tae pey the commotion much attention. Wae oor dead pan expressions it seemed maire like a mugshot than a hert warmin photo. But nonetheless, ma mum seemed obliviously delighted. Then we soon set oaff and made oor wey through the quiet mornin streets barely exchangin a single word wae each other. Until, that is, we reached the school gates.

This wis indeed the infamous Ainslie Park. A proper school ae hard knocks. The buildin auld and run doon. A neglected concrete Victorian memory. Which pulsated wae an inhumane aura, exclusive tae a state education. We took a cautious stroll inside the main entrance and greeted by other students. Who wur busy huggin and embracin yin another. An image that didnae make us feel any less awkward than we awready did. We baith went oor serperate weys as we wurnae in any clesses taegether and before ah kent it ah wis standin oan ma lonesome. Navigatin ma wey past aw the pupils and teachers who wur buzzin through the corridors. Ah couldnae help but feel a bit overwhelmed by ma new surroundings. But even wae ma bag weighin me doon ah somehow made ma wey up the windy stairs. Eventually reachin ma destination. Which wis B12, oan the second flair. By the time ah arrived in the room the place wis utterly rammed. Ma new classmates busy laughin and exchangin stories aboot what they hud been up tae durin the summer holidays. Some ae thum ah kent fae primary. Others ah hud only glanced at durin our induction day. Ah wis left wae a dilemma though, eh? Sit oan ma ain? or park ma erse nixt tae Jordan Smith who ah'd kent since we wur baith wee. Considerin this wis an overweight thirteen year auld who still believed in Santa Claus. Ah soon decided that sittin oan ma ain wis the wise choice. So, ah planted masel doon oan the first vacant desk ah could find. Ah then proceeded tae take ma pencil case oot ma bag. Along wae a jotter that ah quickly scribbled ma name oan. The noise fae aw the excited voices amongst the other first-year students hit haime jist how alone ah actually wis there. And then, ootae naewhere, Miss Robertson wandered in. And she wis accompanied by a young skinny Asian boay who looked shy and extremely timid.

Ah couldnae quite place his puss, likes. He wis werain a school blazer and hud some soartae briefcase grasped in his hand. Naeboady else seemed tae cloack his, or the teacher's presence in the room. Probably cos they wur too distracted by their ain chatter. The boay stood cowerin behind the teacher who wis a young and energetic lassie. Accordin tae ma aulder cousin John she wis yin ae the few popular teachers amongst the other bairns. She quickly quieted doon the cless in anticipation ae her pendin announcement.

"Settle down" she proclaimed, in her warm and friendly voice. She then gestured tae the mysterious south Asian boay.

"I have someone I would like you all to meet. This is Aldo and his family recently moved to the area. He'll be joining the class today and I expect that you will all make him feel welcome."

He stepped forward and turned and bowed gracefully tae Miss Robertson. Before he too began tae address the cless. And tae ma surprise he seemed far maire confident wae his words than ah coulda possibly huv imagined.

"Thank you to the lovely Miss Robertson fur such a wonderful introduction" he said. A comment that drawed the teacher tae blush.

Before he went oan tae continue "Ah would like tae say ah can't wait tae git tae ken yae all. Oh, and go Leith Star" he added wae a beamin smile and a wee fist pump in the air.

Leith Star wis the local fitbaw team, in case yur wonderin. Apart fae me ah doubt very much anycunt in that room kent that club even existsed. The teacher soon excused herself tae go and dae some photocopyin. And that boay Aldo's eyes dinnae flinch fae her as she departed the room. A suffocatin awkwardness then promptly developed. And naeboady seemed willin tae engage the new face in conversation. Until, ae aw people, Jordan piped up.

"You can sit next to me, Aldo" he telt him. As he patted doon oan the seat nixt tae him.

Aldo quickly turned tae face his direction "Quiet pork chop" he hissed.

"Excuse me?" asked Jordan.

By this time the conversation hud caught the focus ae everyone in the room. And jist like masel, everyboady wis speechless wae the words spillin oot ae the geeky lookin boays mooth.

"Jesus fuckin Christ" he said. "When ah'm lookin fur the quickest wey tae commit social suicide then we kin talk."

Ah took a quick look aroond the room jist tae see ah didnae imagine that and wae the state ae shock acroass everyboady's puss it wis clear ah wisnae. Ah felt bad fur Jordan but no bad enough that ah felt the need tae jump tae his defence.

"My mum says I'm big boned" Jordan said "Not fat."

Aldo scoffed "Ah bet yae she tells yae it's the lassies, and no you. That's why yae canne pull a bird?"

"Yeah" Jordan replied, lookin misty-eyed.

"A damn fine actress" Aldo said.

Then Jordan ripped opened and turned tae his closest and dearest pal. A family sized bag ae Monster Munch.

You could feel the tension risin. As this Aldo gazed acroass the faces ae his stunned audience. Ah wis jist sittin there prayin he didnae zone in oan me.

"Listen up" he announced. "Every Friday ah want a quid fae every yin ae you's. And dinnae go runnin tae yur mummy and daddies and start tellin tales. Or tae that bitch in heat who jist left the room. Cos ah will find yaise. And believe me. It willnae be poetic."

Everyone wis consumed wae shock fae his words. Ah could hear a loatae whisperin echoin aroond me. When a voice could be heard sayin "I'm not paying you anything."

"Who said?" enquired Aldo.

Some brave soul raised their hand. Aldo smiled as he picked up a large brush that wis leant against the teachers big wide desk before he swaggered taewards the boay "Looks like we've goat a free thinker oan our hands" and readied himself tae take a swing.

And as he went tae dae it the boays puss intantly turned pale white while the hale room gasped.

But before he could hit him Aldo started sweepin the flair. Jist as the teacher returned wae a bunch ae papers in hand.

"Ah thoat the flair looked a tad dirty. So ah took the liberty tae give it a quick clean. Ah hope you don't mind Miss Robertson?"

"That is so sweet of you Aldo" she squealed. "Take a seat next to Douglas" words that sent ma hert tae sink and ma baws tae droap at the same time.

He plunged doon oan the seat nixt tae me withoot a hint ae an acknowledgement. And at that very moment ma mind wis still being pulled fae yin direction tae another. Ma first instinct wis tae brek the ice by formally introducin masel tae him. But wae his apparent anger issues ah thoat it might be wiser tae avoid any soartae communication. Cautious, ah wis, that he mighta misunderstood ma gid manners as a declaration ae war. Fae the corner ae ma eye ah tried tae slyly glimpse what he hud inside his briefcase. Ah watched him shrewdly as he meticulously opened it up. Tae ma relief, aw he pulled oot wis a pen and a piece ae paper. Which he carefully laid doon oan the desk. Before too long the teacher finished rhymin oaff a list ae names tae see who wis present and who wis AWOL. She follaed this up wae a wee welcome introduction before she began her English cless by introducin us tae some writer cawed J.D Salinger. And she spoke wae passion aboot his book Cathcher in the Rye. Soonds quite an interestin character that Holden Caulfield, ah remember hinkin tae masel at the time.

Then ma train ae thoat wis interrupted by a whisperin voice

"Practically wankin me oaff she wis at reception. Engaged n aw, ah cloacked the ring" it says.

As ah looked up ah wis shocked tae find that it wis indeed Aldo who wis trying his best tae mimic a skilled Ventriloquist.

"Eh, you talkin tae me?" ah asked.

"Aye" he said, restless.

"Who yae talkin aboot, likes?"

"The fuckin teacher, dafty" he said "Cunts no fit tae look efter bairns. Hinkin aboot reportin her tae the education board."

"That's a serious accusation" ah telt him. "Did she touch yae or summit?"

"It's no what she did. It wis maire aboot what she wanted tae dae. Pure lust. Undressin me wae her eyes, n that."

"O…k" ah telt him. Then ah returned tae focus oan ma work.

"Listen, Dougie" he continued oan "At break, eh? be a pal and gees a full SP oan who runs this mickey moose operation?"

"Sure" ah said. Even though ah didnae huv a clue what he wis talikn aboot. But, tae ma ain surprise. Ah decided tae take the opportunity tae question him further.

"Listen, since we're pals noo. Ah take it ah dinnae need tae pey yae that quid oan Friday?"

Aldo banged his fist hard oan the desk "Naw, naw" he says "You pey double. Ah need tae show these cunts ah mean business."

At that point the teacher hud her back tae the cless. As she wis still focused oan her task at the blackboard. His comment though hud her quickly spinnin around.

"Who used that foul language in my classroom?" she asked forcefully.

Naeboady spoke up, likes. Probably ootae fear ae the repercussions fae Aldo. But as ah turned tae ma side ah spoatted that he wis pointin straight at me. Ah hud tae take a double take cos a couldnae believe the nerve ae the prick.

"Douglas" Miss Robertson snapped. "Consider yourself this your one and final warning. Another outburst like that you'll be put straight on report."

Ah noadded, sincerely. Then tae rub salt intae ma wounds Aldo decided tae take the moral high ground "Douglas" he said apologetically. "Please dinnae yaise that vulgur language in the presence ae a lady" while indicatin tae the teacher.

"You're a gentleman, Aldo" she said, grinnin fae ear tae ear.

In ma heid ah'm screamin that it's that nutter who did it, no me. Instead, though. Of course, ah kept ma mooth shut and took ma punishment like a man. Ma silence bein ah consequence ae ma faither's warnin fae earlier still fresh in ma memory.

Eventually the bell rang loud and clear tae signal the start ae break time. Everyboady hurried ootae the room and ah could hear some ae thum whisperin aboot the events fae earlier. So, ah took a dubious wander wae Aldo tae meet up wae Craigy at the first year playgroond. The corridors wur rammed wae fresh faced acne. But as we weaved past thum aw ah could hink wis ah'm dreadin tae see what this cunt is like wae nae adults aboot. Finally, we wur there, and that large open concrete space hud a starklin resemblence tae a prison yaird. It didnae take long tae spoat Craig, likes. He wis standin in the corner oan his ain. As we walked taewards him ah could see his mind workin in overdrive as he contemplated who ah hud broat along wae me.

"Dougie!" he shouted "How wis yur first cless?"

"Eh, aye" ah said "It wis defo interestin" ah telt him "Listen, mate. This is Aldo. He's jist moved tae Leith."

Craig reached his hand oot tae Aldo "Nice tae meet yae, mate" he said. But Aldo jist brushed past him and ignored the gesture. Leavin Craigy and masel lookin a tad worried.

"Listen, ladies" Aldo said. "Who runs the protection rackets in this shitehole, eh? the drugs, n that, ah mean?"

Me and Craigy looked perplexed at each other "You do ken this is first year? And that it's oor first day here?"

"Aye" he says, defiantly "But somecunt at this school must be runnin hings?"

And wae that Craig chips in "The hardest boay at the school. Far as ah ken, mate. Is a laddie called Mark Thompson. Him and his mates deal green, n aw. But he's a right horrible bastard."

"Soonds like a kindred spirit. Ah'll need tae meet him tae set up some new hoose rules."

And that' when Craig appeared tae huv

somewhat ae a eureka moment "Ah do ken you" he says. Starin right at Aldo. "Your family own that new restaurant, eh? A little taste ae India?"

"That's right" Aldo tells him. "Ah remember you noo. Chicken Korma wis too hoat the other night, correct?"

"Aye, that's right" Craig replied. Gawpin doon at the concrete at his feet.

But thankfully, the bell rang again. And at an instant everyboady dispersed back inside the buildin.

The rest ae that day wis spent involuntarily listenin tae Aldo plottin his hostile takeover ae the school. A few teachers wur soond but maist ae thum seemed tae be auld dismissive bastards. Who hud clearly loast their passion fur teachin a long time ago. This didnae stoap Aldo suckin up their erses though. And anytime he wis aroond jist they'm it wis like some well-rehearsed theatre performance. Ah'm tellin yae, likes. He gave performance worthy ae Broadway. As soon as they wur ootae ear shot though he wid willingly gee each person in the room a character assassination.

Ah mind him nudgin me in history cless "See her?" he said, pointin tae a wee darlin cawed Megan.

"Aye, what aboot her?" ah asked.

"Fuckin tellin yae, mate" he says "By the end ae the year she wid huv hud maire cocks than ma faither hus cooked curries."

Then he turned his attention back tae Jordan fae earlier "Remember pork chop fae reggie?"

"Aye, man. You mean Jordan?"

"Aye, whatever. Mark ma words. He's yin fat joke awey fae re-enactin the Columbine massacre."

It then suddenly dawned oan me the only cunt that spoke tae me that day wis Aldo. When ah wid go tae the cless ah goat the odd smile fae some ae thum but that wis it. And who could blame thum, eh? Especially considerin the company ah wis keepin. Still though, by the time ma first day finished ah wis baith physically and mentally exhausted. Tae the point when ah goat haime ah headed straight tae ma room fur a lie doon. Jist in the hope ah might huv made some sense ae what hud unfolded at school. Aboot twenty minutes later ma mum cawed me doon stairs fur ma tea and she then began questionin me aboot the events ae the day. Ah never telt her or ma dad aboot Aldo. As ah doubted neither yin ae thum wid even believe that he existed. Insteed, ah jist played dumb and made oot it hud been a great day. Which seemed tae pit a smile oan ma mums face. Efter ah hud ma apple pie and custard ah dashed tae change ootae ma school claithes. Then, ootae naewhere, ah heard a chap at ma front door. And when ah swung the hing open ah couldnae belive ma eyes, it wis Aldo.

"Dougie, son" he said. "C'moan oot, mate. There's money tae be made."

"Aldo" ah said quietly. "How did yae git ma address? Ah ken fur a fact ah never telt yae it."

"School records never lie, mate" he said, wae a grin.

Ah wis speechless and before ah could respond. Ma mum came tae the door "Who's this, son?" she inquired. Starin Aldo up n doon.

"He's ma new mate fae school, mum" ah telt her "His name's, Aldo."

She waved him inside "Come in, come in."

She wis walkin oan water wae his compliments. He hit aw the markers, likes. Everyhing fae her hair style. Tae how she could pass as ma sister. He even hud ma dad eating ootae the palm ae his hand. Laughin at ma faither's terrible patter and he even insisted oan dain the dishes. Jist his wey ae shamin me in front ae ma folks. And the nixt words oot ae ma dads mooth left me paralysed.

"Ah wish ah hud a son, like you, Aldo" he said.

"Aye, but ah pit the bin oot last night dad" ah uttered.

"Aye, the wrong fuckin bin, though. It wis the black yin no the fuckin green yin" then ma dad returned tae hingng oan Aldo's every word.

Hinkin quick oan ma feet ah suggested we go and chap Craig. In an attempt tae defuse the situation and hopefully stoap ma parents fae wantin tae adopt him. So, that's what we did and then the three ae us headed tae the local park. But before we made it there Aldo decided tae stoap oaff at the wee paper shoap nearby.

As me and Craig stood ootside twiddlin oor thums. We cloacked Mark Thompson walkin along wae his entourage ae goons in tow. Craigy gave me a nervous look which ah reciprocated. We baith knew this wis gonnae spell trouble. Mark, efteraw, wis the local bully. And the sortae cunt who preyed oan boays like us.

The stench ae Lynx Africa comin fae him as he drew nearer tae us almost gave me the dry boke "You's two headin tae the park?" he asked.

"Aye" ah responded, cautiously.

"Tell yae what" he says "Gees a fiver and ah'll lit yaise in fur free."

"It's a public park, though" ah whimpered.

Then, as he went tae crush ma Adam's apple intae a fine powder. Aldo surfaced fae the shoap. And as soon as he did he was met wae the sight ae Marks hand clutched acroass ma neck.

"What's goin oan here?" Aldo says.

"Take a walk, pal" snapped Mark "This doesnae concern you."

Aldo smiled tae himself. Before sayin his peace oan the matter. "Well, these two belong tae me. And naeboady touches ma pals withoot peying fur the privilege."

Mark, who wis a few years aulder than us, and maire importantly, a loat bigger than us. Jist chuckled and telt Aldo tae piss oaff before he too goat hurt.

But his warnin fell oan deef ears. Cos, withoot warnin, Aldo produced what looked like a taser fae his jaicket poacket "We kin dae this the easy wey" he says "Or the fuckin fun wey."

Me and Craigy wur brickin it big time at this point. Ah cannae lie. And it didnae help that Mark wis being egged oan by his mates tae knock Aldo oot. But before he could dae anyhing Aldo presented him wae yin final warning "Listen, dafty" He says "There's enough electricity in this hing tae power the national grid. Jist gee me a reason, please?"

"He's bluffin, Mark" yin ae his mates yelped. "Knoack him spark oot."

And that's when the maist amazin hing

happened. Aldo zapped Mark wae the taser which sent him fittin uncontrollably tae the groond. And aw ah could hink while his mates ran awey in a panic wis how ah wis gonnae be an accessory tae murder.

Aldo stood oor Marks fittin boady and smirked. "Is this that boay yae wur tellin me aboot earlier, lads?" Craig acknowledged wae he his heid, timidly.

Aldo then rested his fit oan Marks chest "Dinnae you go swallowin yur tongue, Markie. Ah've been meanin tae huv a catch up wae yae. Listen, eh? you work fur me now. A fag gits selt fur fifty pence in the playgroond? ah want ma cut. Ah'm a reasonable man. Caw it a hunner per cent. Your reign ae terror ends theday. And mines hus jist begun. Spread the fuckin word."

Ah wis in a state ae shock, likes. As wis Craig. Neither ae us could string a sentence taegether. It's no everyday someboady is tasered in front ae yur very eyes. But Aldo didnae even flinch. No yince. And as oor ability tae speak returned. Ah realised that naeboady at the school wid even dare try and mess wae us ever again wae Aldo by oor side. It wis the first day ae a friendship that wid stand the test ae time. And that day wis truly yin tae remember.

SHOUT-OUTS

This book was made possible by the support offered to the writer and his publisher by the following, who made an advance purchase. Thank you, every one of you. Not only did you ensure sure that Colin received a royalty payment for his work which reflected his talent and our faith in him, but you also kept our vision of transformative publishing alive during the lockdown of the first half of 2021 in Scotland, when bookshops were closed. This meant a lot to us, and we'll be forever grateful. Thank you for these epic blessings, shout-outs, and other kind messages.

The Publisher

SHOUT-OUTS!

Martin Keady
@mrtnkeady
Colin and I met online over a love of Great Scots
Kelman and Irvine & I've no doubt 'A Working Class
State Of Mind' will be in that vein.

Brian Lavery
@brianlavery59
About time too - continued success to you Colin

Alan McClure
@alandmcclure
Fantastic tae see these in print at last!

Pete Scott
Thanks Colin Burnett for helping me through 2020
with ur wonderful writing.

Lesley Storm
@lesley_storm
Me! Raise my voice?

Peter Glen
So glad you finally got published

Jane Goldsmith
Well done Colin for finally getting your stories in
print!

Gil Fernie

>Good luck Colin! X

Vicky G

>Ye deserve tae celebrate Colin, but as ma pal Alice wid say, if ye cannae get it doon ye, get it up ye!

John Cranston

Paul Eddington & Jo Munro

>So with the darkest days behind our ship of hope will steer and when in doubt just keep in mind our motto Persevere. Great work Colin.

Rod Williamson

>*@rod_willi72*
>Welcome tae the Republic of Scotland

Jake MacKenna

>Qleapin' no sleepin'

Barbara Martin

>Hello

David Warnes

>An exciting debut from Colin Burnett, whose tightly-crafted writing in the Scots tongue blends dark humour with narrative drive.

Kerry Fraser

>*@mrsfraserphs*
>Tae the quines @easilyread

Vito Lorenzo Milazzo
@vitolm
Bottom Pans represent. Lochbridge Road represent.
Back of Aberlady represent. All the beautiful hidden
places back east, ken.

Fiona Anderson
Good luck and well done my son is doing the same in
Australia - Nathan Anderson #The Meaning of Life

Andrew McGleish
@ScotsGuyinWales
Mair books!

Sandra Burke
@rainbowsr4shar1
To webcomradio.co.uk - jjs999jjs - Oor Painted
Rainbow and Listeners...Supporting Scotland's
Independence and Indy Writers, Musicians and
Artists

Anne Burnett
Well done Colin we all chuffed for you! Def the best
stories we've read in a long time x

John P Cadden
Wishing Colin and publisher a long and prosperous
relationship, lang may yer lums reek.

Valerie Simpson
Good luck from Valerie.
www.cclasp.org.uk

Stuart Paterson
@StuartPoet
Gaun yersel Colin, the mair workin cless vyces we hae in books fae Scotia the better. Haud furrit mucker!

Liz Speirs
All the best Colin, webcomradio.co.uk supports you buddy.

Jack O'Donnell
@poorceltic
I've read some of his stuff and these characters walk and talk like me, like you? Find out too?

Wendy Campbell
@wendohol
I've read some of Colin Burnett's writing and thoroughly enjoyed it. I am looking forward to having a copy of his debut novel. Well done!

Mikey
@westpilton
Well done on your 1st book mate and Glory Glory to the Hibees!

Lasswade High School Library

Graeme Heather
Brilliant to see Colin being published. His gritty shorts are fantastic.

Declan Mooney

@declan_r_m

I knew you'd get here Colin. Solidarity big man. This is just the start!

Auntie Margaret and Uncle John

Well done Colin your Mum and Dad would be so proud of you, as we are.

Peter

1042

Carole Littlehales

@CaroleAnn1982

Thanks to my Grandad Robert Ferguson Weir of Hamilton for enabling me to read this book in the correct accent and for Colin for writing it.

Dr Michael Dempster

@DrMDempster

G'on yersel, Colin. Oor voices maitter!

Anne Mullin

An expert by experience telling it as it is.

John Gallagher

@JohnGallagher26

Well done, Colin. Wishing you all the best. Looking forward to reading the book.

Tracy Sheppard

Guid tae see new authors usin the Scots leid

Davie R
　　Will someone please open a pub like The Clan
　　Tavern, Albert St, Leith was in the early 80s? A nae
　　nonsense boozer.

Duncan McLean
　　'Look for the truth in yourself and take it to the
　　people. Look for the truth in the people and store it
　　within yourself.' *Sonallah Ibrahim*.

Chris Connolly
　　Aw guid wishes fae bonnie Stranraer, Colin.

Jay Kirkman
　　As long as there are those alive to love it, a language
　　will endure forever. Warmest regards from your
　　friends in Kentucky.

David Kidd
　　@davidtkidd1
　　I had a woman ship I took her overseas She left her
　　hold unlocked I had to find a dock I was a toiler on
　　the sea I was a toiler on the sea

Robert Eric Swanepoel
　　@rericswan
　　Debout, les damnés de la terre! Here's to reclaiming
　　the global commons!

FMA Dixon
　　@FMADixon1
　　Ignore the song, it's something to be.

Faris
@faris
Make your life your life's work. Genius Steals. Follow the rabbit hole down my love.

Linda Watson
Congratulations on book Colin well done!

Sandra
Well done Colin!

Emma Grae
@emmagraeauthor
Mon the Scots!

Cooney
Bring the Scots to New Jersey

David Austin
@stoancold
Best wishes Colin, Glad you got a book out that i can recommend that is not by Chris McQueer.

Craig Beaton
@craiglbeaton
Ah wis belted for speakin' ma ain voice at school. Sayin', "Aye" & "'Naw", wisnae proper. Colin celebrates a' Scots words. Slàinte mhath.

Neil Comfort
@bandwagonafrika
Ex-pat in search of his Scottish roots

David Marshall
@70sSoulboy
Anyone who says they have only one life to live must
not know how to read a book

Paul Long
@Plongy
More power to working class words and voices.

Kelvin Clark
Looking forward to reading this piece. I've heard
good things. Here's hoping for a long and successful
writing career for Colin.

Alan Bissett
Well done, Colin, look forward to reading this!

Michael Johnstone
@Words_by_Mike
That Johnstone boy's an argumentative wee basser,
but he may have a point.

Stefan Szczelkun
@szczels
Here's hoping we working class artists writers can
organise and support each other enough, to take
cultural leadership on our own terms.

Paul Gilfillan
Great to see all you progress Colin. I'll read this
and give you feedback!! All the best from QMU
Sociology.

Jeff Fowler
@dr_jeff
I anticipate this to be bigger and better than
Trainspotting

Craig Liddle
@genvague
Demolish parasitism; build mutualism

Chris Wackett
@Cxissy
Doric spik. Fit an fine

Lindsey Douglas
@RoosterTVUK
To an authentic and compelling new working class
voice from Scotland. Mair power tae ye Colin 'n'
others like ye...

Paul Wright
@wifty8
Born in London and still a London accent - I can of
course understand Scots it is a terrific language.

Toby Turner
@TobyCymru
Cymru am Byth - Lie Forrit

Albert Kirk Jr
@AlbertKirkJr
Niver haud yer wheesht, Colin.

Hannah Nicholson
@tattooedselkie
Fit lik?

Edward Andrews
@edwardandrews5
Ulsterman, my cradle tongue was Braid Lallands.
We must keep the language in all its glory alive.
Books in Scots are vital.

Karen Taylor
@karen_taylor7
"Working Class voices demand to be heard," says a
Londoner who still sounds so 'Ounslow.

Andrew Scobie
@Strathconvener1
Look forward to reading this

Susi Briggs
@SusiBriggs1
Scots language is no jist fer tourist tea towels!

Jim Bryce
@NorthCalder
I can speak Scots&English. I was told Scots was just
badly spoken English. Lies! When I found out King
James VI spoke Scots I was delighted!

William Johnson
This is for my Dad William, b. Glasgow 1919 and my
Grandpa and Grandma Robert and Eliza Jean

Craig Wood
@craigfraserwood
Aw the best Colin - keep up the guid work

Cory Murchy
@corymurchy
KEEP GOING

Wendy
@myfyrdodau_wo
Best wishes Colin, diolch

Mrs Lynda A Forbes
@Yarndog
A man's a man for aw that

Alasdair Beattie
@onlyjoin2follow
Wonderful author with immense social conscience
and talent!

Sharon McConnell-Sidorick
@SMcCSid
Best of luck Colin, from another Working-Class
author

Sean Lockhart
@OnlyOneRace
Sean & AJ, fighting for a united working class!

Wolfgang Kuhl
Why is Meatloaf driving the fucking bus?

Paul Pugh

Good luck wi the book fae a laddie fae Pilton wha
wis telt tae speak English, barry tae hear ma ain
language fir once, cheers

Hazel Gormley

Shout out to Papa, for my working class state of
mind.

Valerie Rettie

@TenaciousV56
Proud & Delighted to be one of the folk following
you from early days. Thanks for the laughs & tears &
poignancy-Mair power tae yer keyboard

Valerie Gauld

@vmg456
All the best to Colin - look forward to that novel
next! It was great to interview him on Indylive Radio.

Seoras Mackay

@Sheorais
Loue yer leid, Gaol do cànan

Benjamin

If you are going to try, go all the way!

Colin Meldrum

Working in Edinburgh as a teen and early 20's but
being from the West Coast, this language was an
education.

Steven Heaney
@KarenDa48649816

to Liza De Jong, a wee star who will shine yet

and to John McCabe - I love you brother, always
will, yer a hero to me

ACKNOWLEDGMENTS

It has been a great journey as a writer, thus far. And, of course, like any writer. I've had my fair share of highs and lows. But throughout everything, I've made some great friends along the way. I never imagined I would go from posting some stories on Twitter to becoming a published author. Firstly, I would like to thank the readers who have followed my work these past couple of years. They have encouraged me greatly with their amazing support. This is something I have and will always appreciate. For without all of their kind words. I do know that I would likely not have had this opportunity. Personally, I have always been of the belief that writing is truly only worth pursuing if your readership enjoys your work. Knowing that mines do is not something I will ever take for granted.

I would also like to thank my publisher, Peter Burnett. A guy who has displayed amazing faith in my work. The opportunity he has given me to see my words go to print is something I greatly appreciate. It has been an utterly brilliant experience working alongside him and the team at Leamington Books. I would also like to mention, Craig Gibson. I wish to thank him too for his support and help in getting this book ready. As well as Jonathan Richards for his help and words of encouragement. I would like to give special thanks to Dr Michael Dempster for providing a lovlely quote for my book. He is the national Scots Scriever and advocate of the Scots language who I have greatly admired for some time.

My family have been so supportive as well. I cannot thank them enough for all their help. The sociology department at Queen Margaret University also require an acknowledgement. I studied sociology there and so I would like to thank them as well. I learnt a lot from my studies and what I was taught as a sociologist is reflected in my fiction. Two lecturers in particular deserve special gratitude. Both of these men were, and are, a huge influence on me as a writer. They are the sociologist's Dr Paul Gilfillan and Dr John R Docherty-Hughes. They really engaged me with the discipline of sociology. And it was in the modules they taught where I developed a keen interest in social class, culture, and Scottish society.

colinburnett.co.uk
Twitter: @colinburnett16